D0581031

L'amant d'autrefois

MOLLY O'KEEFE

L'amant d'autrefois

éditions Harlequin

Titre original : FAMILY AT STAKE

Traduction française de ALEXANDRA TEISSIER

Photo de couverture
© GARY HOULDER / GETTY IMAGES

83/85 boulevard Vincent-Auriol 75646 PARIS CEDEX 13.
Service Lectrices — Tél. : 01 45 82 47 47

ISBN 978-2-2808-3571-8 — ISSN 1950-277X

Prologue

20 mai 1992

— Adieu, New Springs !

D'un geste vif, Rachel Filmore dégrafa sa toge de jeune lauréate et l'expédia dans les airs.

Le tissu violet se déploya dans la brise avant de dériver lentement vers le précipice à ses pieds, vestige de l'ancienne carrière à ciel ouvert, telle une voile faseyant sur le bleu profond du firmament.

— Adieu, maman !

Sans se soucier des épingles accrochées à ses boucles, Rachel arracha ensuite sa toque plate, qui vola vers les étoiles.

— Et pour finir, le meilleur… Adieu, cher père ! cria-t-elle. Puisses-tu rôtir en enfer !

Le fac-similé du bac, qui venait de lui être officiellement remis, valsa à son tour dans l'abîme.

— Ton nom figure sur ce papier, fit observer Mac Edwards. Si quelqu'un le ramasse…

— Et alors ? répliqua la jeune fille. Au pire, on s'imaginera que j'ai sauté avec, pour fuir une fois pour toutes cette ville asphyxiante… A moi la liberté !

Elle se pencha au-dessus du vide, le cœur battant. Dans l'obscurité maintenant totale, le trou paraissait sans fond. Un espace béant, qui l'aimantait. Quelle sensation étrange… Lorsqu'elle se tenait ainsi tout près du bord, il lui semblait que le vide l'appelait.

— Ce n'est pas drôle, Rachel.

Un accent bizarre, dans la voix de son ami, l'incita à se retourner.

Mac était assis par terre, adossé à un rocher lisse et rond, sa propre toge pliée à côté de lui. De l'uniforme, il n'avait conservé que la toque, mais inclinée « à la Humphrey Bogart », prétendait-il, un acteur dont il admirait l'élégance. Rachel, qui s'endormait souvent avant la fin de ces vieux films si ennuyeux, n'avait rien contre. De fait, cette coiffe un peu canaille ne manquait pas d'allure…

Mais le plus troublant était ailleurs. Un phénomène curieux se produisait chez Mac, depuis quelque temps. Son visage changeait. Les pommettes, les mâchoires s'affirmaient. Quant à ses yeux… C'était bien simple, Rachel n'arrivait plus à soutenir longtemps leur éclat.

Mac avait vieilli d'un coup, voilà.

Il devenait un homme.

Pour preuve, son corps avait suivi le mouvement. En un rien de temps, l'adolescent fluet avait gagné une dizaine de centimètres et une musculature si respectable, qu'il s'était vu offrir une place dans l'équipe de football ou de basket, au choix. Mac avait refusé tout net, mais la proposition l'avait flatté, Rachel l'avait bien remarqué. Il ne lui avait pas échappé non plus que, depuis un mois ou deux, Margaret McCormick s'attardait souvent près du casier de Mac à l'intercours pour faire bouffer ses cheveux, ramasser un papier, un mouchoir, juste devant lui, provocante en diable…

Celle-ci s'était même inscrite un beau jour au Club Sciences en sollicitant de Mac un cours particulier, puisque, n'est-ce pas, il était le meilleur élève de la classe. Tous deux s'étaient donné rendez-vous le soir même pour une séance de travail dont Rachel, par la suite, n'avait rien pu savoir. A la première allusion, Mac devenait tout rouge et se murait dans le silence.

Ces petits mystères chez lui, ces zones d'ombre, c'était nouveau, songea Rachel. Et tandis qu'elle contemplait son compagnon, elle sentit une douce houle familière se lever dans ses entrailles. Cela aussi, ne lassait pas de l'étonner. Alors qu'ils se côtoyaient depuis quatre ans en toute amitié, voilà que, subitement, la seule présence de Mac la faisait fondre. Mais fondre *vraiment* — à éprouver sans crier gare de furieuses envies de corps à corps torrides, si violentes et si déroutantes qu'elle ne savait qu'en faire, à part les ignorer bien sûr. Une ligne de conduite qu'elle s'imposait, faute de mieux, depuis plusieurs mois maintenant. Résultat, elle avait les nerfs en pelote.

Car son désir secret était que Mac fasse avec elle ce qu'il avait fait avec Margaret.

Seulement, il ne leur restait qu'une nuit… Cette nuit.

— Tu ne veux pas te débarrasser de cette toge, toi aussi ? s'enquit-elle d'un ton dégagé en s'asseyant près de lui.

Elle ramena sa jupe au-dessus des genoux, se félicitant que la chaleur tardive rende inutile le pull qu'elle gardait dans le sac.

— Si, répondit Mac, mais je songe plutôt à la brûler. Il paraît que la fumée qui s'en dégage fait complètement planer.

Rachel pouffa et s'adossa au rocher à son tour. Elle en profita pour se coller comme par inadvertance à l'épaule de Mac…

A ce contact, un frisson courut sur sa peau. « Touche-moi, supplia-t-elle en pensée, le souffle court. Touche-moi, s'il te plaît ! »

Pour peu qu'elle ouvre la bouche, ces mots trop

longtemps retenus s'en écouleraient à coup sûr comme les grains de sable entre des doigts écartés.

— Regarde ce que ton frère m'a donné aujourd'hui, reprit Mac.

Rachel saisit l'objet qu'il lui tendait, et sentit des larmes brûlantes lui brouiller la vue. C'était un vulgaire morceau d'écorce d'avocatier transformé par Jesse, à l'aide du vieux canif qui ne le quittait jamais, en un arbre délicat, déployant ramure et racines.

Si seulement elle pouvait faire comme si Jesse n'existait pas ! Comme si elle n'allait pas, en partant, laisser derrière elle un petit frère ! Alors peut-être, elle n'aurait plus l'horrible impression de suffoquer en permanence…

Elle caressa du pouce les crêtes et les veinules fragiles des feuilles gravées dans le bois, tandis que son propre cœur se craquelait.

— Quelle merveille, chuchota Mac. Quand on pense que ce gamin n'a que onze ans !

Rachel haussa les épaules et lui rendit la sculpture.

— C'est quelqu'un, c'est sûr, murmura-t-elle.

— Rachel…

Voix douce, emplie d'indulgence. Tellement gentille en fait que, lorsque la main de Mac se posa sur son épaule, le mélange sulfureux d'émotions qui agitait Rachel menaça soudain de déborder.

« Ne pleure pas ! se morigéna-t-elle. Ne va pas gâcher cette dernière soirée ! »

Refoulant bravement la tristesse et la rage que lui inspirait son impuissance, la jeune fille décocha un vrai sourire à son ami de toujours et saisit son sac à dos.

— J'ai failli oublier, dit-elle en fourrageant à l'intérieur. J'ai une surprise pour toi... Et hop !

Elle exhiba triomphalement une bouteille enveloppée dans des serviettes, dénichée dans le fond du réfrigérateur familial.

Demain, elle serait à des kilomètres d'ici, alors à quoi bon s'inquiéter de la crise que piquerait son père en découvrant le larcin ?

— Du champagne ! s'exclama Mac. Génial ! A défaut de soirées de gala pour fêter nos diplômes...

— Qui préférerait des gâteaux à la crème écœurants à du champagne tiède, je te le demande ?

Ils n'étaient dupes ni l'un ni l'autre — la situation était si triste qu'ils n'avaient guère d'autre choix que de se réfugier dans la dérision. En ce moment même, tous leurs camarades festoyaient chez eux, ils montaient des filets de volley dans le jardin et sortaient des glacières pleines de bières et de toutes sortes de sodas, tandis que ni les parents de Rachel ni ceux de Mac n'étaient fichus d'organiser le moindre dîner un tant soit peu spécial pour célébrer leur réussite.

— Maman dit toujours qu'il faut le garder pour une grande occasion, mais cette idiote de bouteille dort depuis des lustres au fond du réfrigérateur ! Et comment ça s'ouvre, d'abord ? marmonna Rachel en s'escrimant sur le bouchon.

— Laisse-moi faire.

Mac déchira prestement la feuille d'aluminium, coinça les deux pouces à la base du bouchon, et poussa. Ses bras se tendirent, les veines bleuirent sous la peau. Rachel déglutit, en proie à un trouble qu'elle s'expliquait mal.

— Où as-tu appris ça ? s'enquit-elle tout en se demandant si c'était avec Margaret.

— Cary Grant, répliqua-t-il distraitement, les yeux rivés au goulot.

Le bouchon explosa d'un coup et l'écume mousseuse gicla jusque sur leurs sandales. Rachel poussa un petit cri et déplaça ses pieds, tandis que Mac levait la bouteille pour s'offrir la première lampée.

— Il est parfait ! décréta-t-il en s'essuyant la bouche du revers de la main. Vas-y, goûte.

Rachel songea fugitivement que l'alcool serait superflu ce soir. Ces yeux rieurs, pétillant de malice, suffisaient à la griser. Elle n'en saisit pas moins la bouteille pour l'approcher de ses lèvres, parce que le verre portait l'empreinte de la bouche de Mac.

Le champagne coula dans sa gorge, âpre et doux, bien frais. Oui, il était parfait.

Ses longs bras noués autour des genoux, Mac leva la tête vers le ciel.

— Alors ? dit-il.

Une seconde gorgée de vin permit à Rachel de gagner du temps. Elle savait que Mac était en train de chercher la Grande Ourse et Cassiopée. C'étaient toujours ces constellations qu'il repérait en premier, pour s'orienter, disait-il.

— C'est pour demain, n'est-ce pas ?

— Yep, dit Rachel en lui rendant la bouteille.

— Je peux t'emmener, si tu veux. San Luis Obispo n'est pas si loin.

— C'est ça. Comme si l'Affreux allait te laisser sa voiture !

— Qu'il aille au diable, grommela Mac en shootant dans un caillou.

A son tour, il s'octroya une longue rasade de champagne. Rachel écouta le caillou rebondir jusqu'au fond du ravin. Puis elle inspira à fond, et se promit que cette tentative serait la dernière.

— Viens avec moi, dit-elle d'une traite.

— Rach…

— Tu as des notes excellentes et…

— Zéro dollar sur mon compte en banque, acheva Mac en secouant la tête. Nous en avons déjà parlé des dizaines de fois.

— Ecoute, je vais partir tôt pour me mettre tout de suite en quête d'un petit boulot. Toi aussi, tu peux t'en trouver un, dans une épicerie, un restaurant... Ou tiens, chez un paysagiste ! Tu aimerais sûrement travailler parmi les...

Rachel se tut brusquement, découragée.

Supplier ne servait à rien. Elle au moins avait décroché une bourse d'études, tandis que Mac n'avait même pas fait de demande. Emballer les achats dans une épicerie ne suffirait même pas à couvrir le prix des livres. Et puis, Mac n'était pas près de quitter sa mère, aussi longtemps qu'elle resterait mariée avec l'Affreux.

Tête basse, elle tendit la main vers la bouteille de champagne. « Que vais-je devenir sans toi ? » songea-t-elle tristement. En l'absence de Mac, le monde lui apparaissait soudain trop grand, inquiétant, et même sinistre. Où donc étaient passées l'excitation, l'espérance joyeuse qu'elle pensait éprouver à la perspective d'entrer à l'université ? Elle allait perdre son ami d'enfance, et le reste n'avait plus aucune importance, ce soir. La nostalgie lui serrait le cœur par avance, et son impuissance à modifier le cours du destin lui procurait un regret lancinant.

— Ce n'est pas la peine de te demander de rester, hein ? chuchota Mac.

Rachel releva vivement les yeux.

— Je ne peux pas, Mac, dit-elle d'une voix altérée. Il m'a fichue à la porte. Il m'a dit qu'après mon diplôme, il...

— Il ne voulait plus te voir, je sais.

Mac lui reprit la bouteille des mains. Elle le regarda boire. Il ne restait plus qu'un fond de champagne, et c'était lui qui en avait bu le plus.

Cela expliquait peut-être cette suggestion extravagante... Rester à New Springs ? Mais pour y faire quoi ?

— Si on se mariait ? dit-il alors. Comme ça, tu pourrais rester.

Un instant, Rachel crut rêver. Mac la regardait. Sous la lune, ses cheveux blonds prenaient une teinte argentée. Son visage tendu lui parut soudain si attirant, si plein d'une envie bien réelle, que son propre corps réagit au quart de tour.

Le désir s'épanouit comme une fleur au creux de son ventre.

— Nous marier ? balbutia-t-elle, étourdie par les battements assourdissants de son cœur.

Mac posa la bouteille par terre et se tourna vers elle.

Son air grave prit Rachel au dépourvu. Elle comprit subitement pourquoi elle évitait son regard, ces derniers temps. Tout ce qu'il éprouvait pour elle était écrit là, noir sur blanc.

— Rachel, je… Je t'aime, articula-t-il en avalant sa salive. Je veux dire… Tu es ma meilleure…

Etait-ce pour couper court à ces délires ? Ou pour se retenir elle-même de formuler des promesses trop aléatoires ? Rachel se pencha et pressa les lèvres contre les siennes.

Elle ferma les yeux, très fort, et l'écouta gémir tandis qu'une prière montait dans son cœur. « S'il te plaît, s'il te plaît, s'il te plaît ! » Elle ne savait pas trop ce qu'elle attendait au juste, mais une douleur sourde avait surgi du plus profond de son être et réclamait qu'on lui prête attention. « J'ai besoin de toi, Mac. Depuis toujours. Mon Dieu, que vais-je devenir sans toi ? »

Lorsqu'il la détacha de lui, l'air froid se glissa entre eux comme une lame glacée.

— Rachel, qu'est-ce que tu comptes faire demain ? Parce que je ne peux pas faire ça si…

— Je reste.

C'était un mensonge. Cette option-là lui était interdite. Mais, ici et maintenant, elle n'avait pas la force de laisser partir Mac.

Le sourire de Mac illumina la nuit. Ensorcelée, Rachel lui offrit ses lèvres et referma les paupières.

Des doigts caressants effleurèrent ses bras et ses épaules nues pour s'arrêter sur sa nuque. Elle geignit tout bas.

La langue chaude s'insinua entre ses lèvres.

Ensemble, ils s'étendirent avec précaution sur les cailloux.

Elle avait dix-sept ans et Mac serait son tout premier amant. Ce soir même. Le débardeur glissa sur son ventre, une main se posa en coupe sur son sein. Cela aussi, c'était une première. Mac retira son T-shirt, révélant un corps mince, magnifique. Du bout des doigts, elle éprouva la fermeté du torse, puis du ventre. Des nouveautés, encore.

Rien ne pouvait changer ce qui arriverait demain. Mais ce soir, au clair de lune, serrée contre le corps de Mac, Rachel réussissait à faire comme si cela n'avait pas d'importance.

Chapitre 1

Treize ans plus tard

En passant dans le couloir, Rachel Filmore s'arrêta devant le bureau de sa chef de service, qui était aussi une amie, et réprima un soupir. Comme à son habitude, Olivia Hernandez était plongée dans ses dossiers. Une montagne de dossiers. A force de s'abrutir de travail, elle finirait par y laisser sa santé mentale…

— Coucou ? dit Rachel en frappant à la porte entrouverte le plus discrètement possible.

Olivia fit un bond sur son siège.

— Ne me fais plus jamais ça ! gronda-t-elle, la main crispée sur le col de son T-shirt rose.

— Quoi, frapper avant d'entrer ? C'est pourtant la moindre des politesses, répliqua Rachel avec un sourire goguenard.

— Je suis à toi dans cinq minutes, décréta Olivia

en se penchant derechef sur l'écran de son ordinateur.

— Tu m'as déjà dit ça il y a un bon quart d'heure.

— Je sais, je sais, mais je suis au beau milieu de…

— Code rouge ! coupa Rachel avec autorité.

L'injonction fit l'effet attendu. Olivia se redressa aussitôt.

— *Realmente* ?

Elle balaya d'un regard étonné les piles de documents multicolores jonchant le bureau, comme si elle découvrait leur présence.

— Code rouge, tu dis ?

— Précisément.

Un tel rappel à l'ordre ne se discutait pas. Conçu et instauré par Olivia en personne, le code rouge permettait d'anticiper toute surchauffe intellectuelle face à un trop-plein de travail. Pas question de chicaner. En six années de collaboration, elles ne s'étaient d'ailleurs pas disputées une seule fois à ce sujet.

— Ton mari vient d'appeler, ajouta Rachel. Il m'a priée de m'assurer que celle qui rentrerait ce soir à la maison serait bien sa femme réelle, et non l'ectoplasme qu'il côtoie depuis quinze jours.

Olivia souffla sur une boucle brune pour dégager son front.

— C'est de la folie, depuis que Frank est parti, gémit-elle.

— Justement. La situation risque fort de dégénérer si tu ne t'accordes pas une pause de temps en temps, répliqua Rachel d'un ton ferme.

Elle-même n'en pouvait plus. Solidaire, elle assumait loyalement sa part de travail, mais ses propres dossiers commençaient à lui sortir par les yeux.

— Dis-moi, Nick t'a vraiment téléphoné, ou est-ce que tu cherches seulement de la compagnie pour le déjeuner ? demanda Olivia en plissant les yeux.

— Il a appelé trois fois.

— Trois fois ? Tu aurais pu me prévenir plus tôt !

— Ce n'est pas faute d'avoir essayé, Olivia.

— Tu as raison, soupira Olivia. Je travaille trop.

Elle ouvrit le tiroir du bas, en tira un sac plastique puis repêcha ses chaussures au jugé sous le bureau, et se leva enfin en tirant sur son T-shirt pour lisser le coton froissé.

— Sortons ! dit-elle.

Rachel ravala un soupir de soulagement. Son amie faisait souvent preuve d'un entêtement coriace, entre autres indices de son tempérament de feu. Alors, avec la charge de travail croissante ces derniers temps, le pire était à craindre…

— Tout de même, je préfère ne pas partir les mains vides, déclara Olivia en saisissant les cinq premières chemises de la pile la plus proche.

Comment lui en vouloir ? Rachel elle-même avait un dossier sous le bras... Chaque jour était une lutte constante pour éviter le code rouge.

— Tant que tu arrives à distinguer la lumière du jour..., dit-elle en baissant machinalement les yeux sur les chemises qu'emportait son amie.

Son pouls s'accéléra à la vue d'une flèche rouge fixée à la toute première couverture.

Dans la nomenclature en vigueur à la Protection de l'enfance, une flèche rouge signalait un cas particulièrement sensible : le conseiller social en charge du dossier penchait pour un placement de l'enfant en foyer d'accueil. Or la décision de retirer un enfant de sa famille ne se prenait pas à la légère, elle exigeait du temps, de la disponibilité. A quoi pensait donc Olivia en se chargeant d'un dossier aussi lourd ?

Car elle venait d'accepter, après de longues hésitations, la succession de Frank, et ses nouvelles responsabilités administratives supposaient qu'elle se décharge du travail de terrain, tellement prenant, sur d'autres membres du service. Parmi les dossiers qu'elle s'était réservés, il n'aurait jamais dû y avoir de flèche rouge. Elle avait après tout un mari, des enfants à préserver !

A l'inverse, Rachel, qui de son côté ne pouvait se prévaloir en tout et pour tout que d'un ex-petit ami et d'un poisson rouge, avouait volontiers un penchant pour les cas difficiles. Empêcher les méchants de nuire, pour aider les enfants en péril : le défi lui plaisait. La difficulté même d'une telle mission lui semblait justifier son travail et lui procurait toujours, une fois le dossier bouclé, l'intense satisfaction du devoir accompli.

En quittant le bureau, Olivia la serra dans ses bras avec sa vigueur coutumière.

— Merci, Rach, chuchota-t-elle.

— Tu ferais la même chose pour moi, répliqua la jeune femme en suivant son amie dans le dédale de couloirs jusque vers la sortie et le grand jour.

Il faisait un temps superbe. Elles allèrent s'installer sur leur banc préféré, dans l'un des jardins miniatures, entretenus avec soin, qui égayaient les bâtiments administratifs.

Le soleil californien et les parfums de fleurs charriés par la brise étaient une invitation à la détente dans cette période plutôt agitée. Le départ de Frank, décidé dans la précipitation et mal géré, avait bousculé l'organisation de l'ensemble du service.

Olivia se tourna vers Rachel tout en léchant le couvercle en aluminium du yaourt qu'elle venait d'ouvrir.

— Alors, ces nouveaux dossiers ? Tu t'en sors ?

Rachel agita les pieds pour se défaire de ses mules noires et croisa les chevilles.

— Je survis, répondit-elle avec franchise. C'est dur. Sur la fin, Frank avait une fâcheuse tendance à bâcler le travail. Il a mélangé des noms et des dates d'un dossier à l'autre… Mais rien d'irréparable jusqu'à présent.

Olivia émit un petit rire nerveux.

— J'aimerais pouvoir en dire autant de mon côté ! Depuis que je suis passée cadre, je me retrouve avec mille petits détails à régler en permanence. J'ai déjà oublié pourquoi j'ai pris la place de Frank !

— Parce que tu étais au bord de la rupture après dix années sur le terrain, voilà pourquoi.

— Il n'empêche que le travail était plus simple !

Rachel contint un soupir.

— Tu enfreignais la règle d'or, Liv.

— Quelle règle d'or ?

— La mienne, répliqua Rachel.

— Rachel Filmore aurait une règle d'or ? Première nouvelle ! s'esclaffa Olivia. Est-ce que ce serait… Voyons… Ne jamais évoquer la famille ? Ou pire encore, le mariage ?

— Ma règle d'or stipule, dit Rachel en agitant sa fourchette en plastique, que l'on ne doit sous aucun prétexte s'impliquer personnellement outre mesure dans le travail. Or toi, ma chère, tu t'impliquais à mort !

— Ha ! Comme si je ne t'avais jamais surprise en train de verser une larme, cachée sous ton bureau ! Tu as eu ta part de codes rouges, il me semble !

Deux, très précisément, songea Rachel. En six ans. Ce n'était pas si mal, comme moyenne. Quant aux rares occasions où ses nerfs l'avaient lâchée, c'était dans l'intimité de sa chambre à coucher. Surtout pas en public.

— Tu exagères, protesta-t-elle. Et j'ai bien précisé : « outre mesure ». Ne jamais se laisser accaparer *outre mesure* par un dossier.

Cette rigueur n'empêchait pas de s'investir dans son travail. Tout autant qu'Olivia, Rachel mettait un point d'honneur à résoudre au mieux les cas dont elle avait la responsabilité. Or, l'expérience aidant, elle avait appris à conserver un recul salutaire, pour éviter que l'affectif ne prenne le dessus. En somme, elle s'impliquait avec sa tête et tenait soigneusement son cœur à distance.

C'était la seule façon de ne pas craquer devant la misère du monde.

— Depuis six ans que je travaille ici, dit-elle, je…

— Mais tu es encore une enfant, ma chérie !

Rachel pinça les lèvres. L'ancienneté supérieure d'Olivia — qui venait de fêter son dixième anniversaire au service de la Protection de l'enfance — ne l'autorisait tout de même pas à tenir pour négligeables ses propres années de service !

— La leçon la plus utile que m'ait apprise Frank Monroe, c'est que le détachement est une garantie d'efficacité dans ce métier.

— Cela explique les bourdes que tu as trouvées dans ses dossiers…

— Cela explique surtout qu'il ait pu tenir le coup pendant vingt-cinq ans !

Olivia la dévisagea longuement. Mal à l'aise, Rachel finit par détourner la tête.

— Tu sais, tu es sans doute l'un de nos meilleurs conseillers. Tu es intelligente, rapide, tu travailles dur…

— Merci, bredouilla Rachel, très gênée.

— … mais il te reste beaucoup à apprendre, acheva Olivia avec un clin d'œil avant de gober une cuillérée de yaourt.

Rachel préféra changer de sujet avant qu'Olivia ne lui inflige un inventaire fastidieux des compétences qu'elle devait encore acquérir.

— Tu as des projets pour ce week-end ?

— Toute la famille débarque chez nous dimanche.

— Pourquoi, c'est un dimanche spécial ? s'étonna Rachel en piquant une feuille de laitue.

— Juste la fête des Mères.

Rachel se crispa aussitôt, le dos secoué d'un frisson glacé.

— Rachel ?

Silencieuse, elle baissa les yeux sur les moineaux qui picoraient l'herbe à ses pieds. Pas question de croiser le regard compatissant de son amie.

— Est-ce que tu iras voir ta maman ? insista Olivia.

— Non.

— Mais c'est la fête des Mères…

— Tu me l'as déjà dit.

Tout en mâchonnant distraitement sa salade, Rachel s'interrogea sur l'émotion qui lui bloquait la gorge. Colère ? Remords ? Dédain ? Plutôt l'indifférence, trancha la jeune femme. Puisque c'était le seul sentiment que sa mère éveillait encore en elle.

— Ce n'est qu'un jour comme les autres, marmonna-t-elle.

— Pas pour ta maman, qui donnerait sans doute son bras droit pour avoir de tes nouvelles… Enfin, Rachel, elle habite à quarante minutes d'ici à peine !

Elle aurait aussi bien pu vivre sur la face cachée de la lune, songea Rachel en émiettant le reste de sa laitue pour la lancer aux oiseaux.

— Ne gâchons pas ton retour parmi les vivants en parlant de ma mère, tu veux, Liv ?

Rachel était passée maître dans l'art d'éluder les questions sur ce sujet. De toute manière, son père étant décédé cinq ans après qu'elle avait quitté New Springs, et tout le monde ignorant qu'elle avait un frère, rien ne l'obligeait à répondre. Et c'était parfait ainsi.

— Comme tu voudras. *Obstinada idiota !* ajouta Olivia entre ses dents.

Son bel appétit évanoui, Rachel ajouta un petit morceau de concombre au déjeuner des moineaux. Idiote, elle ? Certainement pas, songea-t-elle en souriant. Les idiots sont ceux qui nient l'évidence et persistent, envers et contre tout, à tenter de réconcilier leur famille en lambeaux. Un travers dans lequel Rachel n'était pas près de tomber. Si l'avenir, à la rigueur, peut se modeler, le passé ne se répare pas, elle était bien placée pour le savoir. La meilleure solution est de l'oublier.

— Nous allons réunir ma famille et celle de Nick autour d'un barbecue toute la journée, précisa Olivia.

— Quelle fête !

— Et si vous veniez vous joindre à nous, Will et toi ?

Rachel tiqua. Il n'y avait plus de Will dans sa vie. Olivia risquait de voir rouge en apprenant la nouvelle.

— Tes filleules meurent d'envie de te voir, ajouta celle-ci.

— Pas de chantage aux sentiments ! protesta Rachel en riant.

Mais elle aussi, avait hâte de retrouver Ruby et Louisa. Leur dernière escapade à la plage remontait à plusieurs semaines…

— Et puis tu me protégerais de ma belle-mère. Vous pourriez discuter toutes les deux de vos ancêtres britanniques…

— Tupperware et muffins ?

Olivia éclata de rire. « Finissons-en », songea Rachel.

— Will et moi avons rompu, annonça-t-elle tout de go.

— Quoi ? Mais depuis quand ?

— Le week-end dernier.

— *No del…*

— Oh, allez… Ce n'est pas la fin du monde, quand même.

Le problème avec Will, c'était qu'il voulait à toute force fonder un foyer. Un vrai foyer, avec enfants, villa et labrador, toutes choses dont Rachel ne voulait à aucun prix. Elle le lui avait d'ailleurs clairement fait savoir dès le deuxième rendez-vous. D'où sa stupeur et sa colère, lorsque Will avait proposé qu'ils emménagent ensemble.

Pourquoi cette fâcheuse propension chez l'homme

à s'imaginer que deux mois de dîners, de sexe et de brunchs du dimanche suffisent à faire changer d'avis une femme ? Mystère.

La main d'Olivia se posa sur son bras.

— Que s'est-il passé ? souffla son amie.

Rachel se raidit. Elle n'avait pas besoin de compassion et les marques d'amitié après ruptures — tapes dans le dos, regards apitoyés, offres d'un raid glouton chez le glacier — lui faisaient horreur.

— Nos ambitions étaient incompatibles, Liv.

Elle revit le regard suppliant de Will, tandis qu'elle remballait son nécessaire de toilette. « Je veux la totale, disait-il, un mariage, des enfants, une épouse qui ait besoin de moi… Je veux que *tu* aies besoin de moi ! Mais cela n'arrivera jamais, n'est-ce pas ? » Rachel, les yeux secs et le cœur froid, avait répondu que non, en effet. Et qu'il n'aille pas prétendre qu'elle l'avait pris en traître ; il connaissait depuis le début ses opinions sur la vie de famille.

Là-dessus, elle avait quitté l'appartement, son petit sac de voyage sous le bras, sans un regard en arrière.

— Tu sais, dit Olivia, nous ne sommes pas destinées à reproduire l'histoire de nos parents. Rien ne t'empêche de créer ton propre foyer, avec toutes les chances de réussite…

Rachel leva les yeux vers le ciel d'azur, dans

l'espoir fou d'y trouver une diversion inédite aux sermons d'Olivia. Aucune ne lui venant à l'esprit, elle se borna à entonner la rengaine habituelle.

— D'après toi, quand une femme décide qu'elle ne veut pas fonder une famille, c'est forcément à cause de sa mère ? Je n'en veux pas, point final. C'est donc si compliqué à saisir ?

— Ce que je saisis au quart de tour, chérie, c'est que tu n'es qu'une poule mouillée !

Rachel se tourna vers sa compagne, qui souriait d'une oreille à l'autre.

— Hilarant, commenta-t-elle d'un ton railleur.

— Oui, je sais être très drôle quand je veux.

Olivia posa son sac sur ses dossiers pour s'étirer à son aise. La flèche rouge attira l'œil de Rachel comme l'aurait fait un revolver chargé.

— Tu sais, je n'ai jamais trop apprécié Will, reprit Olivia.

— Pardon ?

— Oui, il était un peu trop… luisant. Cette manie du gel capillaire chez les hommes ! Même les banquiers s'y mettent, maintenant !

— Oh, pitié, Liv, marmonna Rachel tout en lorgnant le nom inscrit sur l'étiquette du dossier — il commençait par un A.

— Trop équilibré, poursuivit Olivia, trop propre sur lui, comme s'il avait joué la prudence toute sa vie. Il te faut un homme qui sache se lâcher, de temps en temps…

— Ecoute, j'apprécie sincèrement ton intérêt pour ma vie amoureuse, mais…

— Le temps passe vite, tu sais. On ne rajeunit pas.

Olivia croisa les jambes sous sa jupe courte. Ses orteils roses étaient assortis à l'intégralité ou presque de sa garde-robe, et le centre de chaque ongle arborait une rose rouge, « l'accessoire ultime », comme l'appelait Olivia.

— Je n'ai que trente ans, Liv. J'ai encore de belles années devant moi, repartit Rachel.

Ce fut en agitant ses propres orteils nus et pâles qu'une idée de génie lui vint pour détourner définitivement la conversation du sujet sensible des mères et des hommes.

— Et si je passais te voir samedi pour que tu me poses du vernis ?

A ces mots, son amie s'illumina comme un sapin de Noël.

— Enfin ! Voilà des mois que tu refuses mes offres… Entre nous, chérie, on jurerait que tu soignes tes orteils avec les dents.

Rachel ramena promptement les pieds sous le banc.

— Je viendrai à une condition, dit-elle.

— Je sais. Pas de roses ni de dragons…

— Je me charge du dossier fléché, coupa Rachel avec autorité.

L'orgueilleuse Olivia se rebella aussitôt.

— Pour quoi faire ? Je suis capable d'assumer !

— Ce dossier n'aurait jamais dû échouer sur ton bureau de cadre, pour commencer.

— Frank s'en réservait toujours quelques-uns pour ne pas perdre la main. Je compte bien en faire autant.

— Bien sûr. A ta place, j'attendrais simplement d'avoir acquis un peu plus d'expérience à ce poste. C'est une flèche rouge, Liv. Deuxième règle d'or : accepte l'aide dont tu as besoin !

Olivia garda le silence un moment.

— Et d'après toi… J'en ai besoin ?

— D'après moi, d'ici une semaine au maximum, les infirmiers débarquent pour te passer la camisole de force.

Le rire d'Olivia ôta un poids à Rachel.

— Soit ! dit-elle enfin en hochant la tête. Je te remercie.

— De rien.

Avec un grand sourire, Rachel saisit le dossier et l'ouvrit. L'excitation familière bourdonna aussitôt dans ses veines. Elle parcourut rapidement des yeux les informations figurant sur la page de garde.

— Ça par exemple ! Elle est née dans la même ville que moi !

Olivia parut tout aussi étonnée. New Springs était une bourgade agricole on ne peut plus calme, perdue aux confins du désert, et comptait une population clairsemée…

C'était une très étrange coïncidence. Rachel en eut la chair de poule. En tournant la page, elle tomba sur la photo d'une adolescente renfrognée. Blonde, les cheveux en bataille, le regard plein de haine et de souffrance. Elle eut l'impression de se voir elle-même avec quelques années de moins.

— Quel âge ? s'enquit Olivia.

— Douze ans, murmura-t-elle.

Olivia accueillit l'information avec un soupir navré.

— Ils sont de plus en plus jeunes, décidément !

Mais Rachel ne l'écoutait déjà plus. Son cœur battait à se rompre…

Car l'adolescente se nommait Amanda Edwards. Et elle habitait New Springs !

Rachel tenta de se raisonner. Ce pouvait être encore une coïncidence. Edwards était un patronyme assez courant…

Elle examina la photo plus attentivement.

Cheveux clairs. Soit. Ce fut le bleu du regard qui retint toute son attention. Un bleu spécial, très pur. Aussi limpide que le ciel juste au-dessus de l'horizon par temps clair. Cette teinte azurée était aussi familière à Rachel que le vert terreux de ses propres prunelles.

Car c'était, à la nuance près, celle des yeux de Mac.

— Rachel ?

Elle chercha fébrilement la page trois où figuraient les coordonnées des parents, suppliant tout bas le ciel…

Mais c'était imprimé là, noir sur blanc.

Mère : décédée.

Père : Mac Arthur Edwards.

Un frémissement d'effroi la parcourut.

Tout le sang se retira soudain de son corps tandis que des paquets d'étoiles s'allumaient devant ses yeux. Elle tripota machinalement la flèche rouge collée sur la première page par Frank pour indiquer qu'Amanda devait être placée.

Et donc, retirée à son père.

« Oh, Mac, qu'est-ce qui a mal tourné ? » songea-t-elle en frissonnant.

— Rachel ? Ça va ? demanda Olivia en lui touchant l'épaule.

Rachel inspira un bon coup.

— Très bien ! Je dois retourner travailler, maintenant.

Sourde aux protestations de son amie, elle se leva, ramassa ses dossiers et les restes de sa salade, et partit au pas de course s'enfermer dans son bureau.

Là, elle dégagea un petit espace sur le sous-main et rouvrit le dossier d'Amanda Edwards, la peur au ventre. Des pensées s'agitaient en tous sens dans sa tête, bourdonnant comme un essaim d'abeilles.

« Mac a une fille, et Frank a jugé que cette fille devait être placée... »

Il devait y avoir une erreur. L'homme qu'elle avait connu était destiné à devenir un père merveilleux. C'était un garçon attentionné, doux, doté d'une patience et d'une gentillesse à toute épreuve... *Regarde ce que ton frère m'a donné aujourd'hui.*

Rachel secoua la tête, repoussant le souvenir dans le trou noir d'où il avait surgi, et effleura le portrait de l'adolescente courroucée, dont les yeux défiants semblaient en avoir déjà trop vu. Les faits étaient là, têtus : une fillette de douze ans avait des ennuis et, dans ces cas-là, le plus souvent, la faute incombait aux parents.

Que s'était-il donc passé ?

Sans plus tarder, elle se plongea dans le dossier, compulsant à toute allure les différentes informations recueillies par Frank.

Amanda Edwards, douze ans, fugueuse. Objet d'une enquête de police remontant à six mois, associée à Christie Alvarez, quatorze ans, à la suite de l'incendie qui avait ravagé une écurie et un champ d'un demi-hectare près de New Springs, appartenant à un dénommé Gatan Moerte.

Gatan Moerte. Assaillie de souvenirs, Rachel se passa la main sur le visage. Le vieil ermite était donc toujours en vie ?

Les deux petites avaient disparu deux jours durant, avant d'être retrouvées en train de faire du stop le long de la Highway 13 le lendemain de l'incendie.

Dieu merci, on les avait récupérées à temps ! Des images horrifiques défilèrent dans l'imagination de Rachel, tandis que ses crampes abdominales redoublaient d'intensité.

Sur la dernière page, Frank avait noté ses conclusions.

« Amanda est une adolescente farouche, affichant des pulsions violentes et suicidaires. Ses notes ont chuté de façon spectaculaire depuis le décès de sa mère, survenu l'an dernier. De notre point de vue, la mère était la personne la plus proche d'Amanda et, après sa mort, le père n'a pas pris le relais. Mac Edwards s'est enfermé dans un déni absolu du comportement déviant de sa fille.

« Il prétend qu'il n'a rien vu venir et que la fugue de sa fille l'a totalement pris de court. Or Amanda a besoin d'évoluer dans un environnement rationnel, où ses actions impliqueront des conséquences concrètes au lieu d'être justifiées ou ignorées de façon systématique, comme c'est actuellement le cas dans son foyer. Plus dérangeant encore, en apprenant que la garde d'Amanda pourrait lui être retirée s'il persistait à refuser de voir ses difficultés familiales en face, M. Edwards a totalement perdu le contrôle de ses nerfs. Il a cassé une chaise, puis une fenêtre, et nous avons eu toutes les peines du monde à le maîtriser. Il est à craindre que sa fille subisse de mauvais traitements. A la lumière de ces faits et compte tenu des démêlés judiciaires auxquels s'expose Amanda, nous recommandons le placement de l'enfant. »

Rachel dut relire le texte quatre fois de suite avant d'assimiler pleinement ses implications.

Elle se renversa alors contre son dossier et se mit à compter les rectangles du faux plafond, un exercice qu'on lui avait recommandé et auquel elle s'adonnait avec constance, dans l'espoir illusoire qu'il parviendrait un jour à l'apaiser.

Impossible de se représenter le gentil Mac, plein d'humour, piquant une crise de nerfs au point de briser une fenêtre.

Si on se mariait ? Comme ça, tu pourrais rester.

Rachel ferma les yeux très fort jusqu'à ce que le souvenir s'éloigne. Qu'était-il arrivé à la maman d'Amanda ? Elle feuilleta une nouvelle fois les pages avec une espèce de frénésie. Mais, hormis la mention du décès, elle ne trouva aucune note à son sujet.

Quelle ironie… Elle, Rachel, aurait pu être la mère d'une enfant de cet âge — l'enfant de Mac. Car treize années, jour pour jour ou presque, s'étaient écoulées depuis « leur » nuit dans la carrière. Un coup du destin, et sa vie s'en serait trouvée complètement changée.

Elle vérifia la date du dossier. C'était l'un des tout derniers traités par Frank. L'ultime entretien avec Amanda remontait à trois semaines à peine. Ce jour-là, Frank avait annoncé à Mac que la Protection de l'enfance se réservait le droit de lui retirer la garde de sa fille.

Aussi bien, Mac avait pu disparaître depuis, avec armes et bagages, pour emmener Amanda… mais où, au juste ? Sauf erreur, sa famille se résumait à sa mère et à sa palanquée de maris. Peut-être avait-il trouvé refuge auprès de sa belle-famille ?

Dans tous les cas, le dossier d'Amanda Edwards exigeait une mise à jour.

Techniquement, Rachel n'était pas la mieux placée pour s'en charger. Ce cas impliquait un risque évident de conflit d'intérêts, dont elle avait tout à fait conscience. La logique voulait qu'elle aille trouver sur-le-champ sa supérieure hiérarchique pour lui dire : « Je connais cet homme. Je l'ai même aimé, enfin, je crois. En tout cas, je lui ai brisé le cœur. Donc, je ne peux pas m'occuper de ce dossier. »

Voilà ce que la raison lui soufflait — et qu'elle n'écouta que d'une oreille.

Chapitre 2

Rachel dut patienter deux jours avant de réussir à dégager un moment dans son planning surchargé pour rendre visite à Mac et Amanda.

Le trajet jusqu'à New Springs s'était révélé moins tranquille que prévu. Après avoir coupé le moteur, Rachel agita ses doigts engourdis d'avoir trop serré le volant. Elle n'avait pas prévu l'émoi que susciterait chez elle ce retour aux origines. Chaque coup d'œil au rétroviseur lui avait renvoyé l'image de la jeune fille craintive et incertaine qui avait quitté la ville treize ans plus tôt…

A l'évidence, elle n'était pas aussi détachée du passé qu'elle l'avait cru. Sa mallette à la main, elle descendit de voiture.

Le claquement sec de la portière chassa un oiseau des buissons bordant le rectangle de gravier sur lequel elle venait de se garer. Devant elle, se dressait une villa aux murs bruns, bâtie à flanc de montagne dans un écrin d'avocatiers et de citronniers en fleurs.

Comme la plupart de ses voisins dont Rachel avait aperçu les propriétés en montant, Mac exerçait la profession d'exploitant agricole. Elle l'imagina sans peine travaillant la terre de ce verger. C'était dans l'ordre des choses…

Face à l'afflux des souvenirs, Rachel se remémora avec fermeté les raisonnements qu'elle s'était tenus durant le trajet. Cette démarche n'était rien de plus qu'un travail de terrain préliminaire, une visite de routine au domicile de la famille, destinée à valider ou infirmer les conclusions de son prédécesseur sur un dossier précis. Elle se ferait ainsi sa propre idée de la situation et serait mieux armée pour prendre une décision. Car l'enjeu était de taille. Si jamais Olivia apprenait son histoire avec Mac… Ce dossier valait-il qu'elle risque de perdre ce travail qu'elle adorait ? Elle n'en était pas convaincue.

La seule façon d'en avoir le cœur net, c'était de frapper à cette porte en restant professionnelle jusqu'au bout des ongles. Elle était plutôt douée comme conseillère sociale. Si ces gens avaient besoin de son aide, elle se devait de la leur apporter — en évitant à tout prix de s'impliquer sur le plan personnel. A la condition expresse de contrôler ses émotions, elle s'attellerait à un cas somme toute ordinaire, celui d'un père soupçonné de négligence vis-à-vis de sa fille, voire de maltraitance. Aucun fantôme du passé ne viendrait la perturber. Après tout, son histoire avec Mac n'avait rien d'une tragédie romantique qui les aurait marqués à jamais l'un ou l'autre. Ils avaient été amis, amants d'une nuit ; puis, ils s'étaient perdus de vue. Pas de quoi fouetter un chat.

Sa montre indiquait 17 h 30 — une heure plutôt propice pour trouver les gens chez eux. Rachel s'était abstenue de téléphoner. Dans ce métier, prévenir de son passage était le plus sûr moyen de faire fuir les personnes qu'elle désirait voir.

Le gravier crissa sous ses pas. Quelque part, un carillon chinois égrenait sa musique flûtée dans la brise légère, aux senteurs de sauge blanche, soufflant des montagnes. Un chemin pavé la mena ensuite jusqu'au perron.

C'est tout juste si elle repéra la porte, enfouie sous le lierre. A côté, un plant de tomates géant jaillissait d'un vieux seau, tandis qu'un basilic déployait ses feuilles odorantes depuis une boîte de café recyclée.

Voilà le Mac dont elle avait gardé le souvenir !

La jeune femme inspira profondément. Mauvaise idée, d'avoir avalé trois tasses de café en début d'après-midi. Son cœur tambourinait comme un fou, maintenant. Du plat de la main, elle lissa le devant de son chemisier blanc. Impeccable. Puis elle frappa. Mais le battant de bois sombre s'entrouvrit sous la pression de ses doigts…

Devant elle, une volée de marches, conduisant à une vaste salle de séjour en contrebas. Son regard fut attiré par un panneau de baies vitrées donnant sur une terrasse qui surplombait la vallée. Le panorama sur les montagnes toutes proches était à couper le souffle.

Mais Rachel n'était pas au bout de ses surprises. Si elle ne payait pas de mine vue de l'extérieur, la villa recelait bien des beautés cachées.

Le plancher de bois blond étincelait dans la clarté de cet après-midi ensoleillé. Le fond de la pièce était dévolu au coin salon : une cheminée en pierres brutes côtoyait un meuble abritant télévision et chaîne hi-fi, mais aussi plusieurs rangées de livres et de revues, et deux grands sofas tendus de tissu pourpre se faisaient face, invitant au repos. Au centre, trônait une longue table sur laquelle Rachel aperçut un sac de collégienne, des livres de classe et des cahiers étalés au petit bonheur, près d'une assiette pleine de miettes. Sur la droite, un comptoir séparait cet espace salle à manger de la cuisine.

L'ensemble dégageait une atmosphère chaleureuse et douillette, accentuée par les touches de couleurs vives sur les tableaux ornant les murs. Attendrie à la vue de l'assiette de cookies traînant sur le comptoir, Rachel songea que c'était un décor très improbable pour des violences même verbales.

Néanmoins, elle avait appris très tôt, au sein de sa propre famille, à ne jamais se fier aux apparences. Le foyer le plus accueillant pouvait abriter les pires horreurs…

— Bonjour ! Il y a quelqu'un ? appela-t-elle depuis le hall d'entrée.

Pas de réponse. Aucun son ne lui parvint.

Elle avança d'un pas et repéra un escalier montant vers l'étage qu'elle avait dû confondre avec le rez-de-chaussée, tout à l'heure en arrivant. Ingénieux, cet aménagement intérieur qui tirait profit du bâti à flanc de montagne…

Les affaires de Mac paraissaient florissantes. Pourquoi ce détail ne figurait-il pas dans le dossier ?

— Il y a quelqu'un ? répéta-t-elle un peu plus fort.

— Oui !

Rachel cessa tout net de respirer. C'était lui. Cette voix grave, un peu rauque… Les ondes de choc se répercutèrent jusque dans sa colonne vertébrale.

— J'arrive !

Contrariée de réagir de la sorte, la jeune femme s'intima l'ordre de se détendre. De se concentrer sur sa mission et sur le détachement indispensable pour la mener à bien…

— Désolé, je…

La voix était devenue plus distincte. Elle provenait du rez-de-chaussée. L'estomac à l'envers, Rachel entendit des pas approcher et se tourna sur sa droite, vers la cuisine.

Et soudain, Mac se matérialisa devant elle. Il était passé par une porte qu'elle n'avait pas remarquée en entrant. Le cœur de Rachel s'arrêta de battre.

Il était magnifique. Son corps mince et puissant à la fois avait tenu toutes les promesses qu'il affichait à dix-sept ans. Une carrure solide, des bras nerveux et hâlés se devinaient sous la chemise en denim aux manches retroussées. Le treillis kaki était porté bas sur des hanches étroites. Et ces cheveux, trop longs, décolorés par le soleil…

Il dégagea quelques mèches de son front du bout des doigts. Rachel le regarda faire, envoûtée. Elle constata ainsi que les yeux étaient toujours du bleu le plus pur, même s'ils exprimaient pour le moment une certaine perplexité.

— A qui ai-je l'honneur ? demanda-t-il, esquissant le sourire en coin qui creusait une fossette sur sa joue.

Rachel sentit son pouls repartir sur une embardée douloureuse. D'un geste vif, elle repoussa ses lunettes de soleil sur sa tête pour se présenter à lui. Nue, ou tout comme.

La stupeur, puis une incrédulité chagrine déformèrent le beau visage de Mac.

— Rachel ? murmura-t-il.

Ses yeux brûlaient. Elle comprit qu'elle était au

bord de fondre en larmes et fixa aussitôt la pointe de ses chaussures. Une sale manie, dont elle n'arrivait pas à se débarrasser.

— Rachel ?

Le ton tranchant lui ôtait son courage. « Tu as un travail à faire, se morigéna-t-elle. Ressaisis-toi, bon sang ! »

Avalant sa salive, elle osa enfin relever la tête et braver le regard de Mac.

— Salut, Mac, dit-elle.

Il posa le pied sur la première des trois marches et agrippa la rampe. Rachel vit distinctement ses jointures blanchir autour du bois.

— Qu'est-ce que tu fais ici ? demanda-t-il d'une voix étranglée.

La conversation s'engageait mal. A dire vrai, Rachel avait espéré des retrouvailles plus… cordiales. Sans doute était-ce trop demander ? songea-t-elle avec une désinvolture qu'elle se reprocha aussitôt — un peu facile, comme parade… Mais se passer de sa béquille préférée à cet instant précis était au-dessus de ses forces.

Elle ouvrit la bouche pour s'expliquer, mais une silhouette pâle fit son apparition sur le palier du premier étage, et l'atmosphère devint subitement électrique.

— Désolée, papa, j'étais dans la salle de bains.

Un filet de voix. Et un corps si maigre, que Rachel en eut le cœur serré. Elle frissonna.

Il se passait ici quelque chose de grave…

En short et T-shirt rouge à manches longues, floqué du nom d'une équipe de natation locale, le spectre se laissa flotter sans bruit jusqu'au bas des marches.

A la vue de l'adulte inconnue figée dans le hall, la méfiance se peignit sur son visage. Son regard devint hostile et aussi blasé que celui d'une femme très âgée. Elle croisa les bras sur la poitrine et toisa l'ennemi.

« Et voilà, se dit Rachel, l'adolescente en colère de la photo ! »

— Qui êtes-vous ? s'enquit-elle, les yeux plissés.

— Amanda, intervint Mac en posant la main sur son épaule dans un geste d'apaisement, je te présente une vieille amie à moi, Rachel… ?

Il attendait manifestement qu'elle annonce son nom d'épouse.

— Rachel Filmore, dit-elle.

Amanda hésita, mais un léger coup de coude de Mac la rappela à l'ordre.

— Salut, marmonna-t-elle en effleurant la main tendue de Rachel. Je peux remonter dans ma chambre maintenant, papa ?

— Pas de problème.

Elle détala sans demander son reste, ses longs cheveux flottant dans son dos comme un gracieux étendard. Rachel la suivit des yeux avant de se tourner vers Mac, dont la nervosité devenait terriblement contagieuse. Il l'observait, bras croisés, tête inclinée, dans une posture familière qui titillait le verrou apposé sur ses souvenirs.

Il n'était pas heureux de la voir, et ce n'était qu'un début.

— Mac, commença-t-elle, je suis conseillère au service de Protection de l'enfance de Santa Barbara.

Elle n'avait pas fini sa phrase qu'il lui tournait déjà le dos pour arpenter le salon.

— Mac ?

— Je t'écoute, répliqua-t-il, glacial.

Il attrapa l'assiette sale sur la table du salon et revint vers l'évier.

— Je suis même tout ouïe, Rachel !

Elle n'était donc pas la seule à recourir à l'humour dans les moments délicats, un humour moqueur, gorgé de fiel. Etrange, comme cela faisait mal d'en être la cible, pour une fois.

— Frank Monroe, qui au départ…

— Oh ! Je me souviens très bien de Frank ! coupa Mac en posant brutalement l'assiette sur le plan de travail.

— Il vient de prendre sa retraite. C'est moi qui suis chargée du dossier d'Amand…

Mac reprit l'assiette et la jeta dans l'évier, où elle se fracassa en mille morceaux. Rachel sursauta.

Il jura dans sa barbe, les mains crispées sur le rebord.

— Mac, tu dois comprendre la gravité du problème auquel vous êtes confrontés, ta fille et toi, continua la jeune femme en avançant d'un pas. Je ne suis pas ton ennemie !

Mac se retourna d'un bloc et s'adossa au comptoir, les yeux brûlant de colère rentrée. Un muscle tressauta dans sa joue.

— Amusant, Rachel. C'est exactement ce que m'a dit Frank avant de m'annoncer qu'il allait m'enlever Amanda !

— Ecoute…

Tout en descendant lentement les trois marches menant dans le salon, Rachel s'aperçut que sa décision était déjà prise. Depuis quand, au juste ? A quel moment avait-elle choisi sciemment d'enfreindre les règles de sa profession pour prendre Amanda et Mac Edwards sous sa responsabilité ?

Peut-être lorsqu'elle avait ouvert la chemise bleue marquée d'une flèche rouge. Peut-être plus tard, en voyant Mac… Elle n'en était pas sûre. Mais il était désormais exclu qu'elle transmette ce dossier à quelqu'un d'autre.

— Je peux vous aider, affirma-t-elle.

— Ça aussi, il me l'a dit. Seulement vois-tu, je ne compte pas lâcher ma fille, répliqua Mac en se frottant les joues.

— Alors, tu dois coopérer avec moi.

— Je croyais que c'était terminé. Voilà des semaines que je n'avais aucune nouvelle de Frank ni de quiconque, là-bas, à la Protection de l'enfance. Si bien que…

Sa voix mourut.

— Le bureau a été réorganisé. La mise en route a pris un certain temps.

Mac secoua la tête avec un petit rire qui sonnait étrangement creux.

— Bon sang, mais comment… Pourquoi *toi* ? Parmi toutes les personnes possibles, il a fallu que ce soit *toi* qui atterrisses chez moi ?

Sa manière de prononcer ce « toi » ne laissait aucun doute sur ce qu'il restait de ses sentiments pour elle — rien. Il n'en restait rien.

— A mon avis, c'est une chance, répliqua Rachel d'une voix douce.

— Quoi ? Un brin d'optimisme ? repartit Mac d'un ton moqueur. Chez Rachel Filmore ? C'est nouveau !

A ces mots, le passé s'abattit sur eux sans crier gare.

Ils se retrouvèrent prisonniers de l'histoire qu'ils

avaient partagée, une histoire tragique, avec son lot d'émotions fortes. En regardant Mac dans sa cuisine, le contre-jour traçant un halo autour de sa tête blonde, Rachel le revit soudain tel qu'il était treize ans plus tôt, si séduisant sous la lune, après l'avoir demandée en mariage...

La conversation prenait un tour dangereux. Peu désireuse d'évoquer le passé, Rachel haussa les épaules.

— L'optimisme était plutôt ta marque de fabrique à toi.

— Eh bien, je me demande ce qu'il est devenu, soupira Mac lâchant enfin le rebord de l'évier. Alors ? Tes projets ? Si tu comptes me prendre Amanda, je te préviens, je ne te laisserai pas faire !

Rachel n'en douta pas un instant.

— Pour commencer, dit-elle, je vais étudier une nouvelle fois le dossier à fond.

— Le dossier ! ricana Mac en la fusillant du regard. J'adore cette appellation tellement... humaine... Elle fait chaud au cœur !

Habituée à déclencher de vives réactions chez ses interlocuteurs, alors même qu'elle se donnait du mal pour les aider, Rachel s'étonna de sentir son courage vaciller devant la colère de Mac. Qu'il s'agisse de lui ou d'un autre, quelle importance, pourtant ?

Le plus sage était de se raccrocher aux règles de base du métier, dans toute leur froideur.

— Je préfère tout reprendre depuis le début. Nous allons d'abord devoir…

Elle se tut et hésita au moment de pénétrer dans le salon. Si elle n'était pas la bienvenue… Forcer l'intimité de la famille était une chose — un devoir, désormais —, forcer la porte de Mac en était une autre.

— Je t'en prie, entre ! lança celui-ci, ouvrant les bras avec une bonhomie feinte qui lui déchira le cœur. Je t'offre un cookie ?

D'un geste sec, il propulsa l'assiette sur le comptoir dans sa direction. Le crissement du grès sur les carreaux la fit grincer des dents.

— Non merci, répondit-elle d'un ton détaché, très pro, qui lui plut assez. Mac, je sais que tu as déjà passé une série d'entretiens, mais j'aimerais à mon tour passer un peu de temps avec ta fille et toi.

— Soit.

— Est-ce qu'il vous serait possible de venir jusqu'à Santa Barbara ?

La requête était égoïste, Rachel s'en rendit compte avec un temps de retard. Mac la toisa.

— C'est trop pénible pour toi de conduire sur les routes de montagne ? persifla-t-il. Dans ces conditions, peut-être aimerais-tu que nous nous retrouvions au Main Street Café ? Il me semble que ta mère travaille toujours là-bas…

Le coup porta. Sonnée, Rachel inspira vivement.

— Nous nous verrons chez toi, trancha-t-elle d'une voix blanche en se penchant pour chercher son agenda dans son sac à main.

— Rachel…

Le ton avait changé. C'était presque un ton d'excuse.

— Si tu préfères, allons plutôt à…

— Ici, ce sera parfait.

— Rachel !

— Tu as été très clair, Mac.

Elle se décida enfin à relever les yeux de son sac pour croiser le regard de Mac. Sans peur. Après tout, la jeune Rachel d'autrefois n'était plus qu'un lointain souvenir. Aujourd'hui, elle était devenue une femme plus forte. Plus mature.

— Un rendez-vous par semaine, ce serait un rythme idéal. Quel jour te conviendrait le mieux ?

— Le jeudi soir, murmura Mac. Comme avec Frank.

Rachel feuilleta son agenda.

— D'accord. Par ailleurs, j'aimerais vous voir tous les deux ensemble, mais aussi l'un après l'autre, séparément.

— Bien.

Ils se mirent d'accord sur un échéancier. Puis Rachel tendit à Mac une des cartes de visite qu'elle gardait en permanence dans son agenda.

— Tu as ici mon numéro de portable. Ainsi tu pourras me joindre à toute heure.

Mac prit la carte et la glissa dans la poche arrière du treillis. Sa colère semblait évanouie, il avait juste l'air triste et fatigué.

Un silence gêné s'installa entre eux. Mac s'éclaircit la voix.

— Je te demande pardon, dit-il. Pour tout à l'heure, l'allusion à ta mère.

Son regard bleu était sincère.

— Pas grave, dit Rachel avec un geste de la main.

— Mais ce que je voulais…

— Ecoute, Mac. Une fois pour toutes, je suis là pour venir en aide à ta famille et ma tâche sera plus facile si nous nous abstenons l'un comme l'autre d'ouvrir l'armoire aux souvenirs.

Il la considéra un long moment sans rien dire. Rachel, au supplice, se força vaille que vaille à ne pas détourner les yeux.

— Tu veux donc qu'on fasse comme si on ne se connaissait pas ? souffla-t-il.

« Comme si on n'avait jamais passé toutes nos journées ensemble, ajouta Rachel en son for intérieur. Jamais trouvé refuge dans les bras l'un de l'autre pour pleurer. Comme si on ne s'était jamais embrassés. Comme si on n'avait jamais fait l'amour… »

Précisément. C'étaient ces idées-là qu'elle devait censurer chez elle pour pouvoir aider Amanda à sortir de sa détresse. Or elles lui revenaient ce soir en pleine figure…

Il n'avait même pas eu besoin de prononcer les mots. Le temps n'avait rien changé à l'affaire — à son profond désarroi, Rachel s'aperçut qu'elle déchiffrait les pensées de Mac avec la même aisance qu'autrefois.

Son rire cassant la fit tressaillir.

— Comme il te plaira, Rachel !

Celle-ci commençait à se sentir aussi perdue qu'Alice au pays des merveilles, après sa chute dans le terrier du lapin. Rien ne se passait normalement. Cet homme devant elle n'était qu'un pâle reflet du Mac qui la connaissait par cœur à une époque, qui devinait jusqu'à ses moindres désirs…

« Je ne suis plus la même non plus », martela la jeune femme au fond d'elle.

Aujourd'hui, il ne subsistait plus rien entre eux, qu'une émotion obscure, pesante, qui leur écorchait le cœur.

Et elle avait un travail à mener à bien.

— Bien, dit-elle. Je reviendrai donc jeudi prochain interroger Amanda…

— Attends. Je vais la faire venir ici, dit Mac. Il n'est pas question que je décide quoi que ce soit derrière son dos.

Prise de court, Rachel se contenta de hocher la tête. Mac appela sa fille depuis la cuisine et l'on entendit bientôt l'adolescente descendre l'escalier d'un pas lourd, comme si elle menait une marche funèbre.

— Quoi ? grommela-t-elle, une main sur la rampe.

— Les entretiens hebdomadaires vont reprendre dès jeudi prochain, Amanda.

Cette façon qu'avait Mac de parler à sa fille comme à une adulte impressionna Rachel, qui n'était guère habituée à voir cela dans son travail.

— Pas question ! protesta l'adolescente, les joues cramoisies. Je ne veux pas lui parler, papa.

— Nous n'avons pas le choix, riposta Mac d'un ton ferme.

Rachel avança d'un pas.

— Je sais que tu as déjà entendu tout ça, commença-t-elle, mais sincèrement, je ne suis pas ton ennemie.

— Allez vous faire…

— Amanda !

Comme Mac s'approchait à son tour, Rachel l'arrêta d'un geste.

— Vas-y ! dit-elle en regardant Amanda droit

dans les yeux. Mets-toi en colère ! Ça ne me gêne pas. Mais tu vas devoir quand même discuter avec moi…

— Personne ne m'obligera à parler !

— C'est vrai. Tu n'es pas *obligée.* Il serait simplement préférable, pour toi comme pour ton père, que tu acceptes de discuter avec moi et de me dire la vérité.

— On n'a pas besoin de vous ! cria Amanda. Dis-lui, toi, papa !

— Si, ma puce, nous avons besoin d'elle.

La voix de Mac se brisa.

— Nous devons lui parler…

Rachel avança encore, jusqu'à se trouver nez à nez avec Amanda, et déclara :

— Maintenant, je suis ton meilleur atout si tu veux rester avec ton père.

L'adolescente pinça les lèvres. Les larmes aux yeux, elle s'assit en reniflant sur la dernière marche, ramenant frileusement les jambes contre sa poitrine. Rachel, de son côté, s'éloignait déjà vers la porte, consciente de la nécessité de les laisser seuls.

— Je n'ai besoin de personne, chuchota Amanda.

— C'est ce que nous verrons ! répliqua doucement Rachel avant de refermer le battant derrière elle.

L'expérience lui avait appris la souffrance qu'on

peut éprouver à douze ans. C'était la même épreuve qu'Amanda était en train de vivre, elle le sentait.

Elle reprit le volant et s'engagea dans la descente en se concentrant de toutes ses forces, à chaque battement de cœur, chaque inspiration, sur les indices recueillis à l'occasion de cette première visite et les conclusions à en tirer.

Ça ne marchait pas.

Elle stoppa la voiture sur le bas-côté dès qu'elle fut hors de vue de la villa. La réalité brute lui tomba dessus d'un seul coup. Mac, dans la même pièce ! Sa carrière mise en grand danger, au nom d'une amitié dont il ne restait rien…

C'était comme si le monde se refermait sur elle.

— Oh, mon Dieu ! gémit-elle, le visage enfoui dans ses mains tremblantes. Qu'ai-je fait ?

Chapitre 3

— Papa ?

Amanda se leva, les joues brillant de larmes. A cette vue, le cœur de Mac se serra.

— Je suis navré, ma puce, dit-il, écartant les bras en signe d'impuissance. Qu'est-ce que je dois faire ?

La réponse était là, dans le regard accusateur de sa fille, dans le tremblement qui agitait ses épaules. Elle se lisait sur son visage et dans ses poings serrés.

Il devait prendre soin d'elle, l'entourer de son amour et s'assurer que personne ne la lui enlèverait, jamais ! Autant de missions naturelles pour un père, dont il n'était pas fichu de s'acquitter.

Elle finit par tourner les talons pour courir se réfugier à l'étage. La porte de sa chambre claqua. Mac se laissa choir sur une chaise, le moral à zéro.

Rachel Filmore…

Les yeux rivés aux poutres du plafond, il se retint de hurler à la mort. Qui disait qu'un malheur ne venait jamais seul ? D'abord son foyer qui implosait. Et maintenant, le retour dévastateur de Rachel Filmore… La coupe était pleine.

Lui qui, depuis treize ans, pensait en avoir fini avec la torture d'éprouver à la fois, en doses égales, du désir et de la rage, ce cocktail diabolique… Quelle erreur ! Ses souffrances s'étaient ravivées à la seconde où Rachel avait retiré ces fichues lunettes de soleil.

« Seigneur ! songea Mac en se passant la main sur le visage. Rachel… »

Elle paraissait toujours vulnérable, à la merci d'une rafale de vent plus violente que les autres… Cependant il n'avait pas oublié combien cette apparence était fallacieuse. Cette femme avait les deux pieds fermement plantés dans le sol. Indéracinable, comme les arbres de son verger !

Et rebelle dans l'âme, avec ça. Le menton pointé en avant se tenait prêt à défier le monde entier, le regard vert bronze dénotait toujours un mélange étonnant de confiance et de doute, un petit sourire en coin évoquait encore la gosse frondeuse qu'elle avait été.

Mais son vrai sourire, quand il daignait s'épanouir, c'était un soleil… Mille soleils se levant sur l'horizon… Non contente d'être devenue une femme superbe, Rachel avait gardé le pouvoir de faire galoper son cœur et d'amener la sueur à son front.

Mac ferma les yeux en gémissant. Il ne manquait plus que ça !

Treize ans. Il avait mis *treize ans* à la gommer de sa mémoire, à oublier — ou essayer d'oublier — qu'il l'avait aimée, et que, une nuit durant, il avait cru cet amour réciproque. Et toutes ces émotions étaient subitement revenues à la surface tout à l'heure lorsque, chez lui, plantée sur l'escalier qu'il avait construit de ses propres mains, elle lui avait proposé son aide.

Un soupir rageur lui échappa. Rachel ? *L'aider* ? Quelle idée extravagante ! Il n'aurait jamais imaginé la revoir, pour commencer, tant il était persuadé qu'elle s'installerait le plus loin possible de New Springs. Et pendant tout ce temps, elle n'habitait qu'à quarante minutes d'ici ? S'il avait su…

Non, c'était ridicule. S'il avait su, il n'aurait pas agi autrement, bien sûr. Sa propre incohérence le fit sourire. Il était simplement incroyable que Rachel soit restée dans le coin, alors qu'elle avait juré qu'elle ne remettrait jamais les pieds dans cette ville.

Quelle ironie du sort… Mieux valait en rire.

Décidément, il avait le chic pour aimer des femmes dont la conduite lui demeurait incompréhensible. Son épouse, pas de problème, il la décryptait facilement. Mais sa mère, Rachel, sa fille — des énigmes, chacune à sa manière !

Dans la tête d'Amanda, surtout, il se passait des choses qu'il ne parvenait pas à cerner. La disparition de Margaret avait laissé un vide qu'il se démenait pour combler. Il ne comptait pas ses efforts pour que ce foyer reste un havre de paix et il pensait sincèrement accomplir du bon travail… Mais cela, c'était avant la fugue d'Amanda.

Depuis, un fantôme rôdait dans la villa. Un fantôme qui ressemblait si peu à la petite fille qu'il avait connue, qu'il se sentait totalement démuni. C'est pourquoi, en apprenant qu'un conseiller social devait venir les assister sur ordonnance du tribunal, il s'était d'abord réjoui. Avoir enfin quelqu'un à qui parler, quelqu'un pour les guider dans ce nouveau paysage, totalement dévasté, qu'était devenu leur quotidien ! Cette perspective lui avait apporté un réel soulagement.

Le problème, c'était qu'ils étaient tombés sur Frank. Amanda refusait de parler avec lui. Son animosité s'était même aggravée à la maison, envers Mac mais aussi, plus grave, envers ses grands-parents maternels qui l'adoraient. Frank ne s'en était guère ému, il n'avait pas paru comprendre qu'Amanda était en train de se couper de sa famille et la frustration croissante de Mac avait atteint son comble lorsque cet abruti lui avait annoncé que sa fille lui serait retirée… Ce jour-là, ses nerfs avaient lâché.

Mac baissa les yeux sur les fragments d'assiette éparpillés dans l'évier. « Encore une scène de ce genre, songea-t-il, penaud, et c'est ta famille qui sera en miettes ! » Mais ce soir, il s'était trouvé pris de court par l'apparition de Rachel. Parce qu'il n'avait pas eu de nouvelles de Frank depuis leur altercation — trois semaines, tout de même ! —, comme un idiot, il avait cru que tout était réglé. Certaines familles passaient entre les mailles du filet, pourquoi pas la leur ? Mais c'eût été trop demander…

A mon avis, c'est une chance.

Je peux vous aider.

Les paroles de Rachel résonnaient encore dans la tête de Mac. Une chance, vraiment ? En toute franchise, il en doutait. Ce n'était pas tant l'inefficacité du système qui ne lui inspirait pas confiance, mais la parole de Rachel. Le soir du diplôme, il s'était laissé aller à croire qu'elle resterait à New Springs, qu'ils passeraient leur vie ensemble… Le lendemain matin, elle avait décampé sans une explication. Et lui, pauvre imbécile, avait fait tout le trajet jusqu'à San Luis Obispo, ventre à terre sous la pluie battante, pour la supplier de revenir…

L'humiliation absolue.

Mais le plus grave, c'était que Rachel avait abandonné sa famille. Elle leur avait menti et les avait tous laissés tomber. Au plus fort de la tempête, elle avait quitté le navire ! Son frère ne le lui avait jamais pardonné. Difficile de le blâmer… Mac non plus, n'avait pas oublié. Il avait offert à Rachel tout ce qu'il avait en lui de précieux ; elle avait tout laissé derrière elle comme une vieille coquille devenue trop étroite.

Comment pourrait-il se fier aujourd'hui à une personne capable, par le passé, d'une telle conduite ? Et qui déboulait chez lui animée soi-disant des meilleures intentions du monde, tout en affichant la même impassibilité guindée que le traître qui l'avait précédée ?

Mac inspira profondément et se décida enfin à bouger. Pour l'heure, son devoir était de convaincre Amanda d'accorder une seconde chance aux services sociaux. Pas simple…

Il monta les marches d'un pas lourd, avec l'impression d'avoir cent ans de plus, et s'en alla frapper à la porte d'Amanda.

Pas de réponse. Il tourna tout doucement la poignée. Recroquevillée sur le lit, Amanda lui tournait le dos. Son prénom était écrit au dos du T-shirt. On voyait pointer au travers ses vertèbres délicates…

La nostalgie envahit Mac. Il fut soudain saisi d'un désir éperdu de revenir sept ans en arrière, à l'époque où Amanda préparait sa première rentrée scolaire. Alors, il lisait à livre ouvert dans les pensées de sa petite fille. C'était avant que vienne le temps des secrets, des portes rageusement fermées à clé. C'était avant sa fugue et l'enquête criminelle qui avait suivi. C'était aussi avant la réapparition de Rachel Filmore.

— Amanda…

Deux mois s'étaient écoulés depuis ces trois jours et trois nuits d'angoisse pendant lesquels elle n'avait pas donné signe de vie. Pourtant Mac n'avait toujours pas la moindre idée de ce qui l'avait poussée à fuguer.

— Si tu voulais bien m'expliquer pourquoi tu es partie…

— Je te l'ai déjà dit, papa, marmonna-t-elle.

— C'était une idée de Christie, je sais, mais… Pourquoi est-ce que tu l'as suivie ?

Il vit ses frêles épaules se hausser imperceptiblement. Comme d'habitude : Amanda offrait la même réponse depuis deux mois à chacune de ses interrogations.

Pourquoi as-tu fui ?

Pourquoi es-tu si triste ?

Pourquoi ne veux-tu rien manger ?

Pourquoi refuses-tu de me parler ?

Frank lui avait recommandé d'insister, de presser sa fille de questions pour ne pas laisser le silence s'installer. Mais en regardant la courbe délicate de son dos, Mac se demanda où diable il trouverait le courage de la pousser dans ses retranchements. Elle avait déjà tant souffert !

S'éclaircissant la voix, il se lança et franchit une ligne que, d'un accord tacite, ils s'autorisaient rarement à transgresser.

— Il y a un rapport avec maman ?

Un silence s'installa. Mac supplia tout bas le ciel que sa fille daigne enfin vider son cœur…

— Non, papa, soupira-t-elle enfin. Arrête avec maman !

— Mais tu as peut-être vu quelque chose, ou entendu…

— Je n'ai rien vu, rien entendu ! cria Amanda en se retournant à moitié.

Mac aperçut des larmes glissant de sa paupière vers ses cheveux.

— Encore une fois, je dormais ! Je me suis réveillée à l'hôpital. Je ne sais pas ce qui s'est passé !

— D'accord, d'accord, ne te fâche pas.

Comme il se penchait pour l'embrasser, elle se tourna de nouveau vers le mur.

— Va-t'en, papa. Laisse-moi seule.

Sa voix était mouillée de larmes. Mac savait que dès qu'il aurait quitté la pièce, elle enfouirait la tête dans ses oreillers pour sangloter, la bouche bien collée à la taie, s'imaginant sans doute qu'il ne l'entendrait pas…

Il était resté des heures devant sa porte, à l'écouter faire ça.

« Que dois-je faire ? » se demanda-t-il pour la centième fois. Après tout ce temps, lui faudrait-il donc confier de nouveau à Rachel ce qu'il avait de plus cher ? Il ne parvenait pas à le croire. Amanda devait pourtant parler à sa nouvelle conseillère sociale. C'était l'unique solution pour qu'ils sortent de ce guêpier.

— Si tu ne veux pas discuter avec moi, Amanda, j'aimerais au moins que tu discutes avec Rachel Filmore.

— Je parlerai à cette femme, chuchota-t-elle. Si ça peut te faire plaisir.

Elle n'était pas forcément sincère. Mac éprouva toutefois un très léger soulagement — Amanda ne s'était jamais engagée ainsi à parler avec Frank.

— Tout va s'arranger, affirma-t-il avec une conviction qu'il était loin de ressentir.

— Si tu le dis…

— Tu viendrais en ville avec moi, manger un morceau chez Ladd's ?

Jusqu'à une époque récente, elle adorait le poulet frit de chez Ladd's. Mais Mac n'était plus sûr de rien, ces temps-ci. L'appétit d'Amanda semblait s'être envolé en même temps que sa bonne humeur.

« S'il te plaît, supplia-t-il en silence, viens dîner avec moi… »

— Pas faim, chuchota-t-elle.

— Alors, je rapporte un poulet pour plus tard.

— C'est ça, dit-elle d'une voix éteinte.

Mac s'attarda encore quelques secondes, désespérant de la voir se retourner enfin pour lui offrir un vrai sourire… Mais il n'obtint rien d'autre qu'un silence glacial.

Comme il allait sortir, son regard fut attiré par les stickers brillants en forme de coccinelles collés sur l'interrupteur. Amanda les avait reçus pour son septième anniversaire et s'en était servie pour décorer toute la maison…

« Le temps passe si vite », songea tristement Mac. Il se revit décollant une bête à bon Dieu après l'autre de la voiture, du tracteur, du réfrigérateur, des fenêtres… Il en avait encore une sur son radioréveil !

En sortant, il effleura les insectes qui égayaient le plastique blanc de l'interrupteur et sourit. Les couleurs avaient passé, mais le strass scintillait toujours, comme un rappel de la petite fille qu'avait été Amanda.

Mac gara le pick-up devant la quincaillerie Moore's, au centre-ville, entre le Main Street Café où travaillait la mère de Rachel et où lui-même n'entrait jamais, pour des raisons évidentes, et le glacier Dairy Dream. Peut-être s'achèterait-il tout à l'heure un grand pot de glace amandes et chocolat, pour le déguster plus tard, chez lui.

Un sourire chagrin étira ses lèvres. Alors qu'il s'acharnait à faire gagner du poids à sa fille, c'étaient ses pantalons à lui qui avaient une curieuse tendance à rétrécir.

— Hé, Mac !

Son assureur Nick Weber lui adressa un grand signe depuis la terrasse de Dairy Dream où il était attablé avec ses proches.

— Tu passes me voir à l'agence, la semaine prochaine ? J'ai des papiers à te montrer.

— Pas de problème ! cria Mac en retour avant de s'éloigner.

Depuis peu, il révisait à la hausse toutes ses polices d'assurance. Vie, Incendie, Accidents… Tout était devenu si précaire autour de lui ! Si quelque chose devait arriver à sa propriété, ou à sa personne, il fallait qu'Amanda ait de quoi voir venir.

— Pardon… Excusez-moi, murmura-t-il en fendant la foule clairsemée qui patientait devant l'entrée du Royal.

L'unique cinéma de New Springs avait fêté récemment son cinquantième anniversaire. Mac avait vu ici même son tout premier film sur grand écran — *Bambi* ! Par la suite, avec Rachel, il en avait vu des dizaines d'autres, en se faufilant chaque fois en douce dans la salle par l'issue de secours. Et, avant sa fugue, Amanda aimait bien venir avec lui de temps à autre se faire une toile… Dans les villes modestes, le grand cycle de la vie est plus sensible qu'ailleurs. Mac se faisait souvent cette réflexion, et ce n'était pas pour lui déplaire. Il jeta un coup d'œil au programme sur l'affiche, mais le film proposé ces jours-ci était interdit aux moins de quinze ans.

New Springs… Au contraire de Rachel, qui s'y sentait prise au piège, il s'était toujours dit que cette ville suffirait amplement à combler ses désirs, en dépit de quelques défauts. Il avait beau essayer de porter un regard critique sur ses voisins, sur les bougainvilliers omniprésents, sur les routes de montagne pleines de nids-de-poule… Rien à faire, il n'éprouvait pas le besoin de s'insurger et de fuir. Tout lui semblait correct.

Des effluves de grillades le guidèrent jusque chez Ladd's.

Il ne se lassait pas de ce parfum, qu'il classait parmi les plus doux du monde, après celui de la sauge sur sa montagne, de ses citronniers après l'averse, ou des cheveux de sa fille après une journée passée au grand air…

Il s'apprêtait à pénétrer dans le restaurant lorsqu'un rire féminin l'incita à se retourner. Il aperçut Christie Alvarez parmi un groupe d'adolescents du lycée. Elle qui n'avait que deux ans de plus qu'Amanda, se donnait beaucoup de mal pour ressembler à une adulte. Cheveux bruns lissés avec soin et attachés en une queue-de-cheval stricte, paupières soulignées d'un trait d'eye-liner noir beaucoup trop épais. Quant à sa tenue… Le short était court et moulant jusqu'à l'indécence ; un petit ventre, dernier vestige des rondeurs enfantines, débordait un peu de la ceinture…

C'est à peine s'il reconnut l'enfant effrayée qu'il avait croisée au tribunal, dans une tenue semblable à celle d'Amanda, longue jupe, collant et chaussures plates, les cheveux nattés. Il les revit toutes les deux, main dans la main devant le juge, tresse blonde et tresse brune…

Dieu ! Il lui semblait que c'était hier que Christie jouait aux Barbie avec Amanda sur la terrasse, à la villa. Combien avait-il préparé de gratins de macaronis pour cette petite ? Et voilà qu'aujourd'hui, il la voyait tirer sur une cigarette.

Comme il avait raison de tenir Amanda à distance ! Ce qui était arrivé à Christie, il l'ignorait — mais la seule idée de voir sa fille à lui court vêtue, fixant un garçon d'un air aussi blasé, entendu et résigné à la fois, lui soulevait le cœur.

Christie avait dû sentir sa présence, car elle leva

les yeux vers lui. Des yeux vides, froids. Deux galets noirs. Ses joues se colorèrent légèrement. Vite, elle se retourna vers le grand dadais avec lequel elle était occupée à flirter, faisant comme s'il n'était pas là.

Mac se retint d'aller l'attraper par le col pour la ramener direct chez sa mère. Mais qui était-il pour la juger, lui qui assistait, impuissant, à la lente désintégration de sa propre fille, sans trouver la parade…

Déprimé, il se décida à pousser la porte de chez Ladd's, pour en ressortir vingt minutes plus tard, les mains pleines de sacs bruns odorants, graisseux et tout chauds. En passant le Main Street Café, il aperçut Eve Filmore et son chignon gris, en train de noter une commande sur son carnet. La pensée le traversa qu'il aurait dû épargner à Rachel cette allusion à sa mère. C'était un coup bas gratuit, injustifiable.

Elle se détourna soudain de ses clients attablés dans un box pour tousser violemment. Mac put presque l'entendre à travers la vitre. Tel était le résultat, songea-t-il, de vingt ans de boulot dans l'un des rares bistrots où il était encore permis de fumer du tabac sans filtre en commandant un plat du jour à prix modique…

Eve ne ressemblait guère à sa fille. Mac l'avait toujours trouvée un peu quelconque, avec des yeux sans grâce, couleur de glaise, tandis que le regard de Rachel offrait un panachage harmonieux de verts et de bruns. Peut-être était-elle une personne différente, avant de passer sous la coupe de son mari ?

Il poursuivit son chemin en pestant contre la direction que prenaient ses pensées. Il ne pouvait pas se permettre cela. Accueillir Rachel dans sa maison, dans son foyer, soit, il s'y était déjà résigné. Mais il était hors de question qu'il la laisse revenir dans sa tête !

Pour peu que cette femme l'abandonne une seconde fois... Il n'y survivrait pas.

Les yeux rivés à la fenêtre, Amanda compta les pas de son père dans le couloir.

Il n'essayait même pas de se faire discret, au contraire, il marchait en plein milieu du parquet, faisant craquer chaque latte. Trois. Quatre. Cinq... Silence. Une minute plus tard, la porte de la chambre grinça sur ses gonds, et Amanda sentit le regard de son père dans son dos.

C'était devenu une manie, chez lui, depuis quelque temps. Il la contemplait fixement comme s'il s'attendait à ce qu'elle parte en vrille là, sous ses yeux. Sacré spectacle qu'elle lui offrirait là.

En l'entendant avancer, elle se raidit d'instinct.

Elle avait la sensation que deux mains se posaient sur ses épaules, à la place des yeux. Insister, pousser, contraindre, toujours.

« Laisse-moi tranquille ! » Le cri lui mordait la gorge, mais elle se borna à soupirer, donnant tous les signes d'un sommeil profond. Puisqu'elle était tournée vers le mur, elle n'avait même pas besoin de fermer les yeux. Faire semblant de dormir, c'était facile. Simple question d'entraînement.

— Je t'aime, ma puce, chuchota son père.

« Alors pourquoi tu as tout gâché ? » hurla Amanda dans sa tête.

Elle se mordit la lèvre au sang et attendit, le cœur battant, qu'il se décide enfin à décamper. Une fois dans sa propre chambre, il prendrait une douche pendant dix minutes, puis il essayerait de lire pendant cinq autres minutes, avant de s'assoupir, lumière allumée et livre ouvert sur la poitrine.

Une fois papa endormi, seul un tremblement de terre pourrait le réveiller. C'est ce que disait toujours maman, qui paraissait même souhaiter qu'un tremblement de terre le réveille pour de bon et l'engloutisse, tant qu'à faire.

Par précaution, Amanda patienta encore une bonne demi-heure. Un soir, pour avoir attendu à peine vingt minutes, elle s'était fait surprendre et il avait fallu inventer un prétexte, un verre de lait à aller chercher dans la cuisine. Mac en avait profité pour lancer une discussion sur les secrets… C'était plutôt pathétique, vu qu'il ne connaissait rien de rien sur ce sujet précis.

A minuit pile, elle se glissa au bas du lit, attrapa ses tennis et se faufila sans un bruit dans le couloir.

Là, elle retint son souffle, l'oreille aux aguets. La lampe de chevet de son papa était bien allumée, mais des ronflements sonores s'élevaient de derrière la porte. Maman avait raison, il était d'un prévisible !

Elle gagna l'escalier en rasant les murs — les lattes ne craquaient jamais le long des plinthes —, sauta la dernière marche, trop bruyante, et ouvrit la grande porte d'entrée d'un coup, pour ne pas faire grincer les gonds.

Une fois dehors, le faisceau de sa lampe torche braqué devant elle, Amanda traversa la route et s'engagea sans hésiter dans la forêt, se frayant un chemin parmi les rochers et les rondins couchés en travers. Des animaux non identifiés s'éparpillaient autour d'elle ; une chose sombre et petite s'envola au ras de sa tête en piaillant. Elle se pencha mais ne ralentit même pas le rythme. Ne pas s'arrêter, ne pas se retourner.

Elle atteignit bientôt le sommet d'un promontoire et bascula de l'autre côté. A mi-pente, elle obliqua sur la droite, dans l'ancien chemin forestier menant à la carrière abandonnée.

Pour la énième fois, elle consulta sa montre. Pourvu qu'elle ne soit pas trop en retard ! La dernière fois, le temps qu'elle arrive sur place, Christie était déjà repartie.

Chaque soir, elle songeait à se sauver de nouveau. Histoire de dire adieu une bonne fois pour toutes à Christie, à son papa, à ces débiles des services sociaux, à tous les souvenirs de sa maman et de la famille heureuse qu'ils formaient tous ensemble. L'idée était de plus en plus tentante. Un de ces quatre, elle franchirait cette porte après l'avoir ouverte en grand, et elle ne reviendrait jamais.

Chapitre 4

— Amanda arrive dans quelques minutes, annonça Mac en pénétrant dans la cuisine où Rachel s'était installée en attendant son entretien avec la petite.

Au son de cette voix, les cinq sens de la jeune femme se mirent à vibrer, à la façon d'un émetteur radio cherchant une voie vers une station précise à travers les parasites. Elle pouvait entendre Mac respirer…

Seigneur ! Elle pouvait même humer son odeur, soleil et savon mêlés.

Un courant d'air lui caressa la peau comme il ouvrait le réfrigérateur pour y prendre une canette de soda.

— Elle est sous la douche. Elle m'a aidé au verger, tout à l'heure, après la classe.

— Cela lui arrive souvent ? demanda Rachel.

Quelle chance d'avoir un sujet sur lequel se

concentrer autre que cette goutte de sueur glissant sur la tempe de Mac…

Il avait les joues maculées de terre, et du sang perlait à une petite coupure sur son cou. Rachel nota tout cela en une fraction de seconde, le temps d'un battement de paupières. Elle se remémora l'accord parfait qui régnait entre eux naguère. Avec quelle aisance elle devinait son humeur à sa façon d'incliner son chapeau, ou de lui dire bonjour au téléphone ! Un regard échangé pendant la deuxième heure de littérature anglaise lui suffisait pour comprendre qu'ils sécheraient le reste des cours de la journée…

— Oui, plusieurs fois par semaine. Elle m'aide pas mal, répondit-il avant de se désaltérer.

Il était pieds nus. Tant de décontraction naturelle instaurait une intimité aussi imprévue qu'inconfortable. Rachel s'efforça d'ignorer la chaleur indésirable qui enflait dans sa poitrine.

— Quand elle ne t'aide pas, reprit-elle, est-ce qu'elle rentre directement à la villa après les cours ?

— Elle prend des cours particuliers deux fois par semaine. Cela ne figure pas dans tes notes ?

— Je reprends tout à zéro.

— Ah. Je vois maintenant pourquoi les services sociaux sont si efficaces.

Ces sarcasmes faisaient mal. Mac était tendu,

vindicatif. Rachel s'obligea néanmoins à continuer de prendre des notes comme si de rien n'était.

— Je n'arrive pas à croire que tu sois devenue conseillère sociale, déclara Mac en se hissant sur le comptoir, jambes ballantes.

— Ah bon ?

— Tu as des enfants ?

— Non.

— Mariée ?

— Non.

— Pourquoi ?

— Je suis ici pour t'aider à résoudre ton problème, Mac. Pas pour discuter de ma vie amoureuse.

— On dirait pourtant que tu n'en as pas.

Il sourit comme si c'était une bonne plaisanterie, tandis que l'estomac de Rachel se contractait.

— Voilà au moins un point commun entre nous. A nos échecs en amour ! lança-t-il en levant sa canette.

— Est-ce que tu considères ton mariage comme un échec, rétrospectivement ? demanda Rachel d'un ton détaché.

Le sourire de Mac disparut.

— Nous avons tout fait pour qu'il fonctionne, murmura-t-il en baissant les yeux.

Pas dupe, Rachel se pencha de nouveau sur le dossier en faisant mine d'étudier ses notes pourtant mémorisées depuis longtemps. Le fait que Mac ait depuis la rive, si bien qu'il n'a pas dû entendre le bois éclater sous son poids…

— Oh, non !

— Si ! Le tronc s'est cassé en deux. Ton père a plongé. Sauf erreur, il s'est même un peu abîmé le nez.

— La honte ! pouffa Amanda.

Rachel n'arrivait pas à croire au succès inespéré de ce premier entretien avec Amanda. Dès le virage suivant, la villa apparut dans leur champ de vision. Mac faisait les cent pas devant les voitures comme un tigre en cage…

A leur approche, il parut d'abord soulagé, puis content, et pour finir, franchement incrédule. Cela devait faire très longtemps qu'il n'avait pas entendu rire sa fille.

— Je vois que tout s'est bien passé ? demanda-t-il prudemment.

Rachel avait oublié combien un sourire pouvait transformer Mac. C'était comme si la beauté de son âme transparaissait soudain sur son visage dans toute sa splendeur…

A son grand désarroi, ce sourire réveilla des souvenirs vivaces qu'elle s'était pourtant appliquée à étouffer. Elle sentit confusément qu'il suffirait de trois fois rien pour que son passé tout entier lui revienne à la figure. Ensuite, aurait-elle encore les moyens de remettre de l'ordre dans sa vie ?

ça ne s'est pas très bien passé. A mon avis, il apprécierait d'en discuter avec toi.

— Merci, dit Rachel en glissant le bristol dans une pochette du dossier.

Elle inspira profondément avant de formuler sa question suivante, une question logique que poserait n'importe quelle conseillère en charge de ce dossier… mais qui paraissait presque trop indiscrète, compte tenu de son histoire particulière avec Mac.

— A part la mention « Mère décédée », commença la jeune femme dans l'atmosphère de plus en plus pesante de la pièce, je n'ai aucun détail…

Sautant au bas de son perchoir, Mac s'absorba en silence dans une tâche quelconque près de l'évier.

— Quand est-ce arrivé ? insista-t-elle.

— Il y a un an.

Il toussota et Rachel, malgré elle, se surprit à détailler du regard son dos, ses cheveux ondulés, le col du T-shirt. Le garçon séduisant avec lequel elle avait fait l'amour le soir de la remise des diplômes s'était mué en un homme viril, fascinant — et très nerveux.

« Où est passé ton professionnalisme ? se réprimanda-t-elle aussitôt intérieurement. Tu n'étais qu'une gamine à l'époque, tu n'avais aucun recul… »

— C'était un accident de la route, ajouta Mac.

Rachel réprima de son mieux l'élan de compassion que lui inspira cette révélation. Mac se retourna enfin, la mine sombre et grave.

— Amanda se trouvait dans la voiture.

De stupeur, Rachel ouvrit des yeux ronds. Maudit soit Frank ! Cette info capitale aurait dû figurer dans son rapport... C'était à la limite de la faute professionnelle. De quoi avait-elle l'air, maintenant ?

— Que s'est-il passé ? souffla-t-elle.

Mac haussa les épaules et entreprit de donner un vague coup d'éponge au comptoir. Une désinvolture contredite par ses mâchoires crispées.

— Elle a tout bêtement perdu le contrôle du véhicule. Amanda était endormie à l'arrière. Elle dit qu'elle ne se souvient de rien.

Sa phrase s'acheva sur un soupir. Il fixa alors longuement Rachel, qui saisit au quart de tour ce qui se jouait en cet instant. Elle le sentit dans son ventre et jusque dans ses os — devait-il ou non se fier à ses compétences ?

Lorsqu'il détourna enfin les yeux, toujours dans le plus grand silence, elle comprit qu'elle ne faisait pas le poids.

Le jugement que Mac venait de porter sur elle la lacéra comme un coup de fouet. Il faudrait du temps, elle le savait. Il en fallait toujours pour que la confiance s'installe entre une conseillère et ses interlocuteurs. Mais cela suffirait-il, après ce qu'elle avait fait à Mac, et la façon dont elle s'était comportée avec lui ?

— Je suis prête !

Au son de cette voix, Mac et Rachel se retournèrent comme un seul homme vers l'entrée.

Amanda se tenait en haut des marches, tel un oiseau au bord de prendre son envol, poings serrés sur les côtés, la bouche pincée en une ligne sévère. Son regard vif alla de l'un à l'autre.

— Ravie de te revoir, Amanda, déclara Rachel.

Elle devait garder le contrôle de la situation. Si jamais la méfiance de Mac se communiquait à sa fille, le succès de l'entreprise serait d'emblée compromis.

Amanda s'approcha lentement.

— N'oublie pas notre petite discussion, lui souffla son père à l'oreille.

Le sujet de cette « petite discussion » n'était pas difficile à deviner. Amanda s'installa au comptoir tandis que Mac se remettait à astiquer un plan de travail déjà propre.

— Tu as passé une bonne journée ? demanda Rachel.

— Mortelle.

Mac s'éclaircit la gorge.

— Oui, j'ai passé une bonne journée ! ânonna sa fille, les yeux au plafond.

— Tu aimes aller en cours ?

Comme elle haussait les épaules, Mac referma une porte de placard un peu plus bruyamment que nécessaire.

— Mouais…

— Amanda !

Mac fit face à l'adolescente, le visage sévère. Rachel se leva, sa veste à la main.

— Viens, Amanda. Sortons prendre l'air un moment.

Deux paires de prunelles identiques, couleur d'azur, se braquèrent sur elle. Avec le sourire, la jeune femme précisa :

— J'ai besoin de marcher un peu.

Amanda lança à son père un regard suppliant. Les enfants étaient décidément des manipulateurs hors pair, songea Rachel. Mais contre toute attente, Mac demeura de marbre devant cet appel au secours.

— Tout ira bien, dit-il. Prends un blouson.

La chaise grinça sur le parquet. De mauvaise grâce, Amanda alla chercher dans une armoire un coupe-vent bleu. Rachel lui emboîta le pas vers la sortie, consciente du regard de Mac qui lui transperçait le dos.

— Rachel ? Fais juste attention à elle, lui recommanda-t-il.

— C'est mon boulot, Mac.

— Je croyais que vous vouliez prendre l'air ? aboya Amanda.

Rachel gratifia Mac d'un grand sourire destiné à lui faire comprendre que tout ceci était parfaitement normal. La routine, en somme. Puis elle sortit à son tour.

— J'arrive.

L'adolescente l'attendait au bout du sentier dallé.

— Vous voulez qu'on suive la route ? proposa-t-elle en grattant la terre de la pointe de sa chaussure. Vu le peu de circulation par ici, on ne risque pas de se faire renverser.

— Bonne idée.

Plusieurs minutes durant, tandis qu'elles cheminaient dans le sens de la montée, le crissement de leurs semelles sur le gravier fut le seul bruit audible. Rachel laissa exprès le silence s'étirer, sachant qu'Amanda finirait par craquer. Ignorant les regards soupçonneux que lui jetait la petite à la dérobée, elle afficha une profonde fascination pour la végétation des bas-côtés de la route.

D'une seconde à l'autre maintenant, le dialogue s'amorcerait. Rachel dissimula un sourire, déjà certaine de l'angle d'attaque que choisirait Amanda. A tous les coups, une posture bravache, afin de laisser croire à l'adversaire qu'elle n'était pas une mauviette.

Amanda sortit alors de sa poche une cigarette toute cabossée et un briquet.

— Vous allez le dire à mon père ?

— Que tu fumes ? Non.

— Vous pouvez cafarder si ça vous chante. En fait, je m'en fiche complètement.

— Bon. Très bien.

— Papa se fait tellement de souci pour moi qu'il ne me punirait pas…

— Qu'est-ce qu'il ferait, alors ?

Amanda haussa les épaules.

— Il serait triste, je suppose.

Elle shoota dans un caillou, qui dégringola bruyamment sur la route.

— Il m'a expliqué ce que disait ce type, là, Frank… Il pensait que papa me tapait, et tout et tout.

— Mmm…

— C'est n'importe quoi ! Papa ne ferait jamais ça !

Cette fois, les yeux d'Amanda brillaient d'une sincérité si indéniable, que Rachel la crut sur parole. Elle n'avait pas encore cerné avec exactitude le problème auquel était confrontée la famille Edwards, mais Mac n'usait pas de violence envers sa fille — cela, c'était une certitude.

— Tant mieux, commenta-t-elle d'un ton évasif.

Amanda se tourna pour allumer sa cigarette, puis fit semblant d'inhaler la fumée.

Rachel se mit à rire.

— Qu'est-ce qu'il y a de drôle ?

— Oh ! Rien.

Elle attendit quelques minutes, et pouffa de nouveau.

— Quoi ? cria l'adolescente.

— C'est juste que... Si tu fumes pour avoir l'air cool, et que tu ne fumes pas vraiment, tout ton truc tombe à plat.

— Je fume vraiment !

Rachel secoua la tête d'un air navré.

— Désolée de te contredire...

— Et qu'est-ce que vous y connaissez, hein, au tabac ?

— J'ai fumé, moi aussi. J'avais treize ans. C'était pour me sentir plus forte et plus solide que je ne l'étais...

Rachel leva les yeux vers le ciel où la lumière déclinait, très consciente de l'attention aiguë que lui portait soudain sa compagne.

— Je pensais que ça m'aiderait à grandir plus vite... En fait, ajouta-t-elle en plissant le nez, je sentais mauvais en permanence, c'est tout.

— Vous ? Vous avez fumé ? s'étonna Amanda.

— Absolument. Je buvais de l'alcool, aussi. Et je me suis enfuie de chez moi.

Rachel s'éclaircit la voix. Les mots avaient du mal à sortir, en dépit de la distance qui la séparait aujourd'hui de ces souvenirs.

— Mon père nous battait, ma mère, mon frère et moi.

— Trop nul, ça.

— Je suis bien d'accord avec toi.

— Et… est-ce que vous avez eu aussi des ennuis ? Des ennuis sérieux ?

— Avec la police ? Oui, une fois, répondit Rachel avec franchise.

En l'occurrence, elle avait provoqué quelques dégâts dans le bar de McGurk, où son père passait l'essentiel de son existence.

— Comment ça s'est terminé ?

— Un ami m'a tirée d'affaire.

— Est-ce que c'était mon père, par hasard ? Il m'a dit que vous étiez amis.

— C'était ton père, confirma Rachel.

La jeune femme s'efforçait de paraître nonchalante, mais elle n'avait pas prévu d'aborder ce sujet précis et la panique commençait à la gagner à l'idée des questions qu'Amanda, en dépit de ses airs blasés, risquait de poser ensuite sur ses rapports avec Mac.

Car Rachel n'avait aucune envie de lui raconter

que Mac avait menti pour lui fournir un alibi. C'était pourtant ce qu'il avait fait. Comme la plupart des gens d'ici à l'époque, les flics le croyaient toujours sur parole, et Rachel en avait profité plus d'une fois.

Pour le moment, elles se mesuraient l'une l'autre du regard, comme dans les grands duels des westerns. « Vas-y, petite, décide-toi, songea Rachel. Alors, tu me fais confiance ? »

Amanda se détourna la première.

« Bien... », songea Rachel avec soulagement. Elle venait de réussir avec Amanda là où elle avait échoué avec Mac. Un sur deux — pas si mal, pour un premier jour.

Le silence qui s'établit après cet échange fut d'une qualité différente. Méditatif plutôt que belliqueux. Rachel faisait en général du bon travail avec les ados, parce qu'elle savait utiliser ses propres erreurs de jeunesse pour dialoguer avec eux et nouer le contact. Elle n'était pas si différente d'Amanda, naguère, et c'était un atout maître dans son jeu.

— Alors, vous vouliez savoir quoi, au juste ? reprit la petite.

— A quel sujet ?

Au petit jeu du chat et de la souris, elle était imbattable. Elle se pencha pour ramasser une branche cassée, qu'elle balança plus loin dans les buissons.

— Au sujet de ma fugue, marmonna Amanda.

— Tu as envie de me raconter ?

— Non.

— D'accord, dit Rachel avec le plus grand sérieux. Tu n'es pas obligée de me raconter quoi que ce soit si tu n'en as pas envie. Mais je veux que tu comprennes bien ce que tu risques, Amanda. Il est possible qu'on t'enlève à ton père pour te placer dans un foyer d'accueil…

L'adolescente déglutit et jeta sa cigarette.

— C'est comme ça que le feu a pris ? demanda Rachel de but en blanc.

Amanda, qui s'apprêtait à avancer le pied pour écraser le mégot, se figea sur place. Rachel attendit, suppliant en son for intérieur la petite de dire quelque chose, de faire preuve d'intelligence…

— Non, chuchota celle-ci. On a dit à la police que c'était un accident, mais c'était un mensonge.

— Est-ce que c'est toi qui as mis le feu ?

— Non, c'est Christie. Mais…

Des larmes emplirent les yeux d'Amanda. Rachel s'empressa de la rassurer.

— Ne t'inquiète pas, l'affaire est classée. Personne n'aura d'ennuis.

Elle se força à ne pas lui tendre la main. Il fallait à tout prix maintenir le fragile équilibre qui s'était instauré entre elles. Le moindre geste de réconfort risquait de tout gâcher…

Amanda posa enfin le pied sur son mégot.

— Ça m'est bien égal, de toute façon, marmonna-t-elle, simulant de nouveau le plus parfait détachement.

Rachel sourit tandis qu'elles reprenaient leur marche. Quel progrès décisif elle venait de réaliser ! Désormais, elle était convaincue de pouvoir mener sa mission à bien.

Le vent frais embaumait le citron et la sauge. Rachel inhala longuement, paupières mi-closes, un plaisir depuis longtemps oublié.

— A quoi ressemblait papa, au lycée ?

Rachel rouvrit les yeux. Elle fouilla parmi les images qu'elle avait gardées de Mac, et choisit la toute première. Le grand garçon se présentant au cours intitulé « Droit des consommateurs ».

— Réservé, timide. J'avais trois cours en commun avec lui, la première année, et je n'ai découvert qu'à Noël qu'il savait parler !

Raflant sur le sol une feuille d'eucalyptus bien ronde, elle entreprit de la lacérer consciencieusement.

— Est-ce qu'il était déjà un peu… intello ? A côté de la plaque ?

— Tu veux dire qu'il raconte toujours des blagues pas drôles ?

Amanda hocha la tête. Le silence complice qui

suivit fut doux et léger comme un vieux châle trop aimé, usé jusqu'à la trame.

— Comment vous êtes devenus amis ? demanda-t-elle.

La ronde des souvenirs happa alors Rachel, la projetant des années en arrière à son corps défendant. Les circonstances de cette « rencontre » lui revinrent aussitôt à la mémoire, au détail près, à croire qu'elles n'attendaient qu'un prétexte pour refaire surface.

— Par hasard, je faisais équipe avec lui pendant une sortie organisée par le professeur de sciences naturelles au bord de la rivière, pour récolter des échantillons…

— Mortel, commenta tout bas Amanda.

Rachel se mit à rire et lâcha les débris d'eucalyptus dans le vent.

— C'était une journée au grand air… Ton papa adorait ça. Il a toujours aimé les sciences. D'ailleurs il apportait systématiquement en classe des morceaux de roches ou de plantes…

Elle s'aperçut alors qu'Amanda l'observait d'un air amusé, et se tut. Un peu trop lyrique, peut-être, cette manière d'évoquer son père.

— Rentrons, proposa-t-elle.

Elles firent demi-tour et reprirent le chemin de la maison.

— Alors, qu'est-ce qui s'est passé à la rivière ?

— Eh bien… Le jeu consistait à dénicher les spécimens les plus rares possible, qui rapportaient davantage de points au final. Tout en haut de la liste, il y avait une araignée… J'ai oublié son nom, tant pis. Or ton papa, tu l'as peut-être remarqué, adore gagner…

Amanda s'esclaffa.

— Il triche aux cartes, dès qu'il commence à perdre !

— Un vrai scandale, confirma Rachel. Bref. A un moment donné, on a aperçu un arbre couché en travers de la rivière… Le tronc était couvert de toiles d'araignée. Mac s'est alors mis en tête d'aller capturer cette fameuse bestiole…

— Il a joué les équilibristes sur le tronc ?

— C'était complètement dingue. Il était à mi-parcours quand le professeur lui a crié de s'arrêter et de faire demi-tour. Moi je hurlais aussi, parce que j'entendais le bois craquer… Mais ton papa a tranquillement continué à avancer !

Amanda, sourire aux lèvres, marchait maintenant à reculons pour la regarder tout en l'écoutant. Son visage était celui d'un enfant captivé par une histoire — l'enfant qu'elle était, et non plus l'adulte qu'elle s'efforçait de paraître.

— Il était là, dit Rachel, en équilibre instable au-dessus de l'eau, et tout le monde l'encourageait depuis la rive, si bien qu'il n'a pas dû entendre le bois éclater sous son poids…

— Oh, non !

— Si ! Le tronc s'est cassé en deux. Ton père a plongé. Sauf erreur, il s'est même un peu abîmé le nez.

— La honte ! pouffa Amanda.

Rachel n'arrivait pas à croire au succès inespéré de ce premier entretien avec Amanda. Dès le virage suivant, la villa apparut dans leur champ de vision. Mac faisait les cent pas devant les voitures comme un tigre en cage…

A leur approche, il parut d'abord soulagé, puis content, et pour finir, franchement incrédule. Cela devait faire très longtemps qu'il n'avait pas entendu rire sa fille.

— Je vois que tout s'est bien passé ? demanda-t-il prudemment.

Rachel avait oublié combien un sourire pouvait transformer Mac. C'était comme si la beauté de son âme transparaissait soudain sur son visage dans toute sa splendeur…

A son grand désarroi, ce sourire réveilla des souvenirs vivaces qu'elle s'était pourtant appliquée à étouffer. Elle sentit confusément qu'il suffirait de trois fois rien pour que son passé tout entier lui revienne à la figure. Ensuite, aurait-elle encore les moyens de remettre de l'ordre dans sa vie ?

Son allégresse la déserta subitement. Elle s'éclaircit la voix.

— Très bien, même, je crois, répondit-elle en posant la main sur l'épaule d'Amanda.

— Hé, ne me touchez pas !

Un geste, un seul venait d'anéantir la détente et la complicité si difficilement construites et partagées jusque-là. Complètement prise au dépourvu, Rachel vit Amanda repousser violemment sa main.

— Ne me touchez plus jamais !

Puis, impuissante devant ce revirement inattendu, elle regarda Amanda s'enfuir vers la maison…

Avant qu'elle ait eu le temps de reprendre ses esprits, Mac se tournait vers elle, et lui jetait un regard dur comme le granit.

— Bravo ! lui lança-t-il d'une voix sourde et sèche.

Chapitre 5

Rachel compta très lentement jusqu'à cinq. Puis elle recommença, en espagnol cette fois — deux esprits surchauffés face à face ne pouvaient aboutir à rien de bon. Elle travaillait dur pour garder ses distances vis-à-vis de Mac et n'avait aucune intention de se laisser entraîner dans une querelle, ou pire, sur le terrain piégé des griefs personnels.

— Mac, j'aimerais que tu te détendes.

— Tu veux que je te dise ce que j'aimerais que tu fasses, moi ? répliqua-t-il avec un rire glacial.

— Inutile de t'en prendre à moi, ce n'est pas ça qui résoudra le problème.

— Je sais ! Mais qu'est-ce qui s'est passé, bon Dieu, Rachel ? Il y a deux secondes, elle riait... Si tu savais depuis quand elle...

Il se détourna, les poings serrés, clairement frustré au-delà des mots.

— Ces choses-là prennent du temps, Mac. Beaucoup de temps, même, quelquefois.

Elle leva la main — et se retint juste à temps de lui toucher le bras. C'était stupide. Comme si ce geste pouvait apporter un quelconque réconfort, à Mac ou à elle-même !

— En dépit des apparences, notre entretien s'est très bien passé, ajouta-t-elle.

— Vraiment ?

Son beau visage était creusé de plis soucieux.

— Raconte… Qu'est-ce qu'elle a dit ?

Rachel fit la grimace.

— Tu le sais, je ne peux pas t'en parler. Mais fais-moi confiance, elle…

— J'en déduis que tu as fini ton boulot ici, persifla Mac. Tu emmènes ma fille faire un tour, tu remues la vase et, après, tu me laisses me débrouiller avec ça ! Frank a fait la même chose. Vous êtes tous pareils ! Vous n'êtes pas fichus de nous aider… juste de nous faire un peu plus de mal !

Comme toujours face à de telles manifestations de colère, Rachel sentit son corps se glacer. Une réaction d'effroi qui remontait à sa petite enfance, du temps où les coups pleuvaient, tandis que sa mère criait et que son frère pleurait.

Elle accueillit ce frisson, sans surprise, et le laissa se dissiper lentement.

— Et n'oublie pas d'ajouter ça à ton foutu dossier ! Prends des notes, écris tes recommandations, pendant que je passerai des heures à essayer de faire avaler un dîner à ma fille !

— Tu n'arranges pas ton cas en hurlant…

— Bon sang, Rachel ! Qu'est-ce que je dois faire, alors, hein ? Dis-moi ! s'écria-t-il. Tu débarques chez moi au bout de treize ans pour résoudre mes problèmes, alors qu'est-ce que tu attends ? Sors ta baguette magique !

Mac vibrait d'émotion — une émotion contre laquelle Rachel devait à tout prix se prémunir. Son professionnalisme impassible lui servirait de bouclier.

— Mac, ce n'est pas si simple, objecta-t-elle sèchement.

— Sans blague, Rachel ! Première nouvelle !

Il lui tourna le dos et agrippa des deux mains la table de jardin dont le bois était devenu gris avec le temps. Chacun de ses muscles saillait sous le T-shirt. Sa rage était palpable…

« Garde la tête froide, s'ordonna Rachel. Au moins ça ! »

— Si tu ne te reprends pas, murmura-t-elle à contrecœur, je vais devoir partir et consigner ce… cet *incident* dans mon rapport. Nous devons travailler ensemble pour aider Amanda, elle seule compte !

Il poussa un soupir et se retourna. Dans les ombres

du crépuscule, son visage paraissait plus que jamais usé par l'inquiétude.

— Je sais, concéda-t-il. Seulement je doute que tu sois de mon côté, Rachel. Ma vie tombe en ruine, et face à ça, toi, tu me donnes l'impression de n'avoir que de la glace dans les veines.

Il leva la tête vers le ciel comme pour le prendre à témoin.

— L'indifférence de Frank me hérissait, mais je pouvais faire avec. Après tout, ce type ne me connaissait pas, pourquoi se serait-il soucié de mon sort ? Mais toi, Rachel… Ton insensibilité me tue, avoua-t-il, posant sur elle un regard intense, chargé d'émotion.

Rachel serra les poings.

— Je m'efforce de faire mon travail, Mac. Et mon travail suppose que je garde la tête froide.

— Donne-moi quelque chose, murmura-t-il. Un espoir, ténu, que ça peut s'arranger, que tu es en mesure de m'aider… Fais-le pour moi.

Qu'entendait-il par là ? se demanda Rachel. Pour ton meilleur ami ? Pour le garçon que tu as aimé ?

Elle se détourna, incapable de soutenir le regard de Mac, et croisa les bras pour se protéger de la fraîcheur de l'air. Mais c'était aussi une façon de s'imposer une certaine rigueur et de se défendre contre l'émotion.

— Il ne s'agit pas seulement de sa fugue, dit-elle. Manifestement, le problème remonte à la mort de sa mère.

— Je sais, je suis tombé d'accord avec Frank sur ce point. Mais, Rachel… Ecoute, je connais ma fille, et je suis persuadé que quelque chose d'autre s'est produit. Quelque chose qui l'a incitée à fuguer.

— Qu'est-ce qui te fait penser ça ?

Le simple fait qu'on lui pose la question parut soulager Mac. A croire que Frank avait vraiment mal fait son boulot.

— Sa mère était morte depuis six mois au moment de sa fugue et, jusque-là, je le jure, son comportement était normal. Enfin, il m'a paru normal, compte tenu de l'épreuve qu'elle venait de subir…

— C'est-à-dire ?

Mac se passa la main sur les joues et soupira :

— Elle était triste. Elle me sollicitait beaucoup… Mais elle a toujours été très attachée à moi, précisa-t-il en souriant.

Dans ce sourire, Rachel lut le plaisir intense que la tendresse d'une fille peut procurer à son père.

Jailli de nulle part, surgit alors dans sa mémoire le souvenir d'un soir de fête des Pères.

Elle devait avoir six ans, à l'époque. Vêtue d'une robe neuve, elle apportait dans le salon une empreinte en argile de sa main, qu'elle avait peinte de manière à évoquer un oiseau. Ce cadeau plairait forcément à son papa, et ensuite, il l'aimerait, elle...

Il dormait sur le canapé, pantalon défait et T-shirt gris de crasse. Il empestait l'alcool.

— Oh, chérie ! Il ne faut pas déranger papa maintenant.

— Mais, maman...

— Laissons-le plutôt dormir.

Docile, elle avait attendu qu'il se réveille. Assise par terre, des heures durant, dans le nuage fétide qui se dégageait du canapé, son cadeau posé à côté d'elle... Est-ce que cela faisait d'elle la gentille petite fille de son papa ?

— Rachel ?

La voix de Mac arracha Rachel au salon de son enfance.

Il la regardait si intensément qu'elle se sentit soudain terriblement vulnérable. Elle rougit, honteuse de s'être laissée aller à se souvenir. Ces émotions auraient dû rester enfouies ; pourtant, elles s'obstinaient à revenir l'envahir...

— Navrée, murmura-t-elle. Continue, je t'écoute.

— A ce moment-là, Amanda mangeait encore, elle rapportait encore de bonnes notes... Cela pendant cinq mois. Et tout a changé du jour au lendemain. Elle est devenue ombrageuse, hostile, elle a cessé de s'alimenter. Jusqu'au jour où elle s'est enfuie de la maison…

— Il arrive que le chagrin prenne des formes inattendues, Mac. Ta fille est à l'orée de l'adolescence, à cet âge la vie émotionnelle est mystérieuse et très compliquée aux yeux des adultes…

— C'est peu de le dire !

Il avait failli de nouveau sourire… Rachel se sentit plus légère.

— Nous nous reverrons jeudi prochain. D'ici là, efforce-toi de lui faire comprendre que vous êtes dans une impasse. Ne la laisse pas s'enfermer dans sa chambre toute la nuit, n'aie pas peur de la monter contre toi. Tu dois l'amener à réagir, à dialoguer… Il ne faut pas qu'elle se laisse happer par l'angoisse dans laquelle la plonge la mort de sa mère.

— D'accord. Cela paraît sensé.

Restait une question, une seule, à poser. Une question peut-être indiscrète, mais importante, car l'information ne figurait pas dans le dossier — encore un oubli de Frank ! — et tout à l'heure, au moment de se lancer, Rachel avait été interrompue par l'arrivée d'Amanda.

— Mac… Qui est la mère d'Amanda ?

Elle le vit se figer. Déglutir. Il avait l'air *gêné*.

Il se laissa choir sur le banc, près de la table, comme abattu.

— Margaret McCormick.

Margaret… A ce nom, Rachel eut un mouvement de recul involontaire. Le cœur au bord des lèvres, muette, elle soutint le regard de Mac qui ne la lâchait pas. Il guettait sa réaction…

« Tu n'as pas perdu de temps, n'est-ce pas ? » brûlait-elle de lui dire. D'ailleurs, même si les mots n'avaient pas encore franchi ses lèvres, ils flottaient déjà dans l'air. Ils venaient tout droit du cœur blessé d'une jeune fille de dix-sept ans sous le choc.

— Tu étais partie, chuchota Mac comme s'il lisait dans ses pensées. Tu n'as pas le droit de me juger.

— Je ne te juge pas, répliqua Rachel en maîtrisant sa voix autant que possible. Navrée que tu aies eu à vivre ce drame.

— Bien sûr, dit-il avec un sourire triste.

Il détourna les yeux vers la vallée verdoyante, au-delà des arbres de son verger, tel un capitaine scrutant la mer à l'horizon, tandis que mille questions surgies du passé harcelaient maintenant Rachel. Des questions impitoyables : Margaret McCormick ? Quand ? Est-ce qu'ils étaient déjà ensemble ? Et moi, quelle était ma place, dans tout ça ? Quand nous avons fait l'amour…

Elle s'ébroua, chassa de force ces pensées dérangeantes qui appartenaient désormais au passé… et tressaillit en entendant le rire de Mac, tellement incongru dans cette atmosphère pesante.

— Qu'est-ce qu'il y a de drôle ?

— Tout ça est si absurde, Rachel...

— Quoi donc ?

Il la dévisagea.

— Mais toi, ici ! En train de m'aider, d'aider la fille de Margaret... Seigneur ! Elle doit se retourner dans sa tombe !

— Je fais juste mon métier.

— Il n'empêche. La fille que je fréquentais il y a treize ans aurait hurlé en apprenant que...

— Je ne suis plus cette fille-là.

— C'est vrai, concéda posément Mac. Mais c'est fou ce que tu lui ressembles.

Il était temps d'en terminer. Rachel décida de clore l'entretien.

— A jeudi, murmura-t-elle.

Sur ce, elle planta Mac et se hâta vers sa voiture. Elle découvrait que Mac avait encore le pouvoir de réveiller chez elle des forces obscures qu'elle n'avait aucune envie d'affronter.

— Rachel ? lança-t-il. Est-ce que tu crois sincèrement pouvoir aider ma fille ?

Rachel se retourna et revint sur ses pas.

— Si quelqu'un en est capable, Mac, c'est bien moi, dit-elle. Je n'ai peut-être pas traversé les mêmes épreuves que ta fille, mais je sais ce que c'est que d'avoir douze ans et la rage au cœur.

Cette fois, lorsqu'elle tourna les talons, Mac n'essaya pas de la retenir.

Maman traitait souvent papa d'écureuil, parce qu'il préférait mettre de côté plutôt que de jeter. C'était censé faire rire tout le monde à la maison. Comme dans les familles parfaites des pubs pour Disney World…

Un beau jour, Amanda ne se rappelait plus très bien quand, l'ambiance avait changé. Au début, sa maman, jeune et jolie, riait tout le temps et disait : « Regardez la chance que nous avons ! » Et puis le rire avait disparu. Les larmes aux yeux, elle répétait des choses comme : « Laissez-moi tranquille, je veux être seule ! » Alors, un calme mortuaire s'était abattu sur la joyeuse assemblée. Ils n'étaient plus que trois personnes mornes et silencieuses.

D'un bond léger, Amanda sauta dans le salon en évitant la marche qui grinçait. Sous l'escalier, il y avait une trappe menant à un réduit minuscule. C'était ici que son papa écureuil rangeait tout ce que sa maman voulait faire disparaître.

« Loin des yeux, loin du cœur ! » chuchotait-il comme si c'était leur petit secret.

Amanda tira sur la ficelle pour ouvrir la trappe et se glissa à l'intérieur de la cache.

Il faisait noir. Tout noir. Elle avait une telle frousse ici quand elle était petite qu'elle refusait toujours d'y entrer. Aujourd'hui, plus rien ne l'effrayait, ni l'obscurité ni le reste, les insectes, le feu, le sang… Rien.

Une fois la trappe refermée au-dessus de sa tête, elle alluma sa lampe torche et pointa le faisceau lumineux sur les cartons bruns empilés le long du mur. Les toiles d'araignée étaient si épaisses qu'elle dut les écarter de la main pour lire les étiquettes.

Photos. Mariage. Porcelaine pour Amanda.

Un vieux percolateur, une maison Barbie à moitié cassée… Il fallut pousser tout cela pour accéder aux cartons remisés tout au fond, dans l'angle, juste à l'aplomb de l'escalier.

Vêtements de bébé Amanda. Petit Chimiste. Lycée.

Lycée ! En plein dans le mille.

La lampe coincée entre les dents, Amanda tira si fort qu'elle bascula sur ses fesses. Elle souleva les rabats d'une main tremblante. Ses bras la démangeaient ; ça picotait, c'était presque douloureux, on aurait dit qu'un essaim d'abeilles bourdonnait juste sous sa peau en cherchant la sortie…

Dans le carton, sur le dessus, elle trouva d'abord une vieille casquette de base-ball des Pittsburgh Pirates. Papa la portait tout le temps jusqu'à ce que maman l'oblige à s'en débarrasser. Elle criait qu'il n'aimait même pas le base-ball, qu'il la portait juste pour la contrarier. Pourquoi disait-elle une chose pareille ? Amanda n'y comprenait rien à l'époque, mais maintenant… tout devenait plus clair.

La casquette sur la tête, elle se mit en quête des albums de son père. Il y en avait un par année de lycée. Ils étaient rangés sur les étagères du salon et un jour, sans explication, papa les avait fourrés dans ce carton et hop ! Sous l'escalier.

Le premier qui lui tomba sous la main était daté de 1992. Parfait. Elle le feuilleta jusqu'à la section des options, et trouva rapidement ce qu'elle cherchait : le Club Sciences. Elle reprit alors la lampe en main et la braqua sur la photographie.

Un petit groupe d'adolescents au look ringard. Sa maman était debout au centre. Drôlement mignonne, cette blonde enjouée en top rose moulant ! Mignonne, mais pas à sa place ici. Un papillon au milieu d'une bande de coléoptères…

Son papa, lui, avait tout du ringard en chef, avec ses lunettes qui semblaient venir d'une panoplie du parfait chimiste et son T-shirt à la gloire de Nine Inch Nails… Un groupe de heavy metal ! Tiens, tiens. Une fille brune le tenait par la taille, en brandissant de l'autre main un filet à papillons comme si c'était un trident… Et cette fille portait une casquette des Pittsburgh Pirates.

Amanda vérifia la liste des noms en bas de page.

Margaret McCormick, Eric Crutchfield, Marnie Stewert, Mac Arthur Edwards et Rachel Filmore.

Et voilà…

Elle sauta quelques pages jusqu'aux clichés individuels des élèves de la promotion. Rien au-dessus du nom de Rachel. Quant à son père, il prétendait qu'il séchait toujours l'école les jours où le photographe devait venir.

« Avec qui ? » se demanda Amanda. Elle aurait volontiers parié dix dollars sur Rachel Filmore…

A quoi ressemblait-elle à l'époque ? Il restait trois autres pages où trouver des portraits. D'abord, l'équipe de cross… Amanda en resta bouche bée. Rachel était là, clairement mal à l'aise dans sa tenue de course un peu moulante, à côté de l'entraîneur et de deux autres filles.

Amanda marqua une pause. Pas à cause de la photo elle-même ni de l'uniforme… C'était l'expression de Rachel. Cette fille était en colère, hors d'elle ! La mine sombre, les bras croisés en signe de défi… Et cette rage qui brillait dans ses yeux.

Un phénomène étrange se produisit alors dans le corps et la tête d'Amanda.

Toutes les belles choses que son père tentait désespérément de ranimer chez elle avec du poulet frit et des blagues pas drôles s'épanouirent dans sa poitrine. Une douce chaleur envahit lentement son cœur endurci…

Elle caressa du pouce le visage de Rachel sur le papier.

— Je te connais, chuchota-t-elle.

Chapitre 6

— Sans moi ! annonça Mac en repoussant sa chaise.

D'un sourire, il rejeta le concert de protestations qui s'éleva du groupe des trois hommes engagés dans le traditionnel poker du samedi soir.

— Vous voulez que je reste pour pouvoir me plumer, c'est tout !

Il lampa son thé glacé et cala un glaçon entre ses dents avant de reposer le verre près du petit évier d'extérieur. Que disait le dicton, déjà ? Un homme qui mâche de la glace est un mâle frustré…

Ce n'était rien de le dire. Trois jours s'étaient écoulés depuis sa dernière entrevue avec Rachel, et la flamme qu'il avait crue définitivement éteinte le brûlait toujours de l'intérieur.

— Pas du tout, protesta Joe Meyers, son ami d'enfance, qui sortait son cigare de sa bouche pour ajouter : Néanmoins, tu as raison sur un point, ton argent m'intéresse ! Reviens donc t'asseoir, je te prêterai ce qu'il faut...

— Il est à peine 8 heures du soir, vieux, remarqua pour sa part Gary Olson en empilant les jetons qu'il venait de subtiliser à Mac. Tu as un couvre-feu à respecter, ou quoi ?

— Non, je suis fauché, répliqua Mac en souriant. A un de ces quatre, les gars !

Il tapota l'épaule robuste de Joe tout en se penchant pour prélever une dernière poignée de chips dans le saladier posé sur un coin de la table pliante. Il se promit de faire un saut à l'épicerie. Avec Amanda, ils s'étaient contentés jusque-là de poulet frit et des cookies confectionnés par sa belle-mère. Ce n'était pas le meilleur régime pour une ado en pleine croissance, ni pour un homme dans la force de l'âge...

Billy Martinez, troisième joueur et hôte d'un soir, quitta la table à son tour.

— Je te raccompagne, dit-il.

— Hé ! Profites-en pour nous rapporter d'autres bières ! cria Gary.

— Flémingite aiguë ? lui renvoya Billy par-dessus son épaule.

— Non, mais ta femme me fait peur !

— C'est pour ça qu'on joue dans le garage, Gary, s'esclaffa Joe. Pour t'éviter de pleurer !

Laissant les autres se chamailler, Mac et Billy gagnèrent la sortie.

— C'est très sympa, chez toi, déclara Mac pour la dixième fois de la soirée. Où as-tu trouvé ces lampes ?

Il désigna à son ami les plafonniers Art déco de verre dépoli de plusieurs coloris, qui instauraient une douce intimité plutôt inattendue dans un garage même récemment refait.

— Lisa les a dénichés au vide-greniers de la paroisse. Elle prétend qu'elles apportent une touche de classe.

— Elle n'a pas tort.

Pensif, Mac enfila ses bottes de travail qu'il avait retirées en arrivant par égard pour la moquette. A la mention de l'épouse de Billy, une boule s'était formée dans sa poitrine et l'oppressait. Cela lui arrivait souvent depuis la mort de Margaret. Au début, il avait cru à une forme de nostalgie somme toute bien naturelle. Mais, les semaines puis les mois passant, il avait fini par se rendre à l'évidence.

Ce n'était rien d'autre qu'un vide. Un trou noir, en lieu et place des sentiments qu'il aurait dû éprouver pour son épouse, et qui n'existaient pas. Qui n'avaient jamais existé.

— N'empêche, je dois être le seul gars au monde à demander à ses invités de se déchausser avant d'entrer dans son garage, grommela Billy en secouant la tête. C'est grotesque !

— Tu es le seul qui ait mis de la moquette dans son garage, pas plus ! rectifia Mac en riant.

— Merci encore pour tout le travail que tu as fait ici.

Ils échangèrent une solide poignée de main.

— Je te dois tant, dit Mac.

— Oh, tu ne vas pas recommencer…

— Lisa nous a nourris pendant des mois, tu m'as fait cadeau de tes honoraires d'avocat… De mon côté, je me suis borné à monter un mur de pierres sèches et à raccorder quelques fils électriques, alors que j'ai l'impression de te devoir un rein, au moins !

— Eh bien ! Je saurai qui appeler si j'ai besoin d'une greffe ! Dis, si vous veniez dîner avec nous, ta fille et toi, demain soir ?

— Quel est le menu ? le taquina Mac. La dinde de la semaine dernière était un peu sèche…

— Holà ! Tu veux vraiment que je répète ce commentaire à ma femme ?

— Seigneur, non ! Je tiens à ma peau.

Il hésitait à accepter l'invitation. Au fond, sans trop se l'avouer, il regrettait de devoir quitter cette maison qui aurait pu être la sienne, avec les petits plats, le garage, la touche féminine qui faisait cruellement défaut à leur existence…

Ce n'était pas Lisa qu'il convoitait, c'était la manière dont elle avait métamorphosé les quatre murs de Billy en un foyer chaleureux.

— Alors, c'est oui ?

La tentation était grande… Mais Amanda et lui avaient besoin de trouver leur propre équilibre. Seuls. Ce couple sans enfants, d'un certain âge, avait déjà fait preuve d'une générosité insigne à leur égard. Le moment était venu de cesser d'accepter la charité, pour se concentrer sur la famille qui leur restait à reconstruire.

— Merci, mais nous ferions bien de nous poser quelque temps. Nous avons un nouveau conseiller social, tu sais ?

Billy fronça ses sourcils poivre et sel.

— J'ai entendu dire que Frank avait pris sa retraite…

— C'est vrai. Nous avons affaire à son successeur.

— Qui est-ce ? Je vais me renseigner, voir ce qu'on peut trouver sur lui…

— Sur *elle*, rectifia Mac. Ne te donne pas cette peine, elle devrait te contacter sous peu.

Mais en faisant cela, songea-t-il, Rachel risquait de renverser le premier d'une longue série de dominos instables… Qu'elle prenne son temps, surtout. A quoi bon précipiter les choses ?

Car, en menant l'enquête, Billy découvrirait tôt

ou tard qu'elle avait fait ses études à New Springs en même temps que lui. Billy n'était pas d'ici, mais il ne manquerait pas de questionner ses camarades de poker qui, eux, avaient fréquenté ce lycée...

Or Gary se souviendrait forcément d'elle. Joe aussi, bien qu'il ait évolué, en sa qualité de star du football, dans des sphères sociales tout à fait différentes. Et si ces deux-là avaient vent du retour de Rachel, Mac n'aurait plus aucun répit. Il serait contraint d'évoquer ses souvenirs et d'endurer des plaisanteries vaseuses sur les rapports étroits qu'il entretenait à l'époque avec Rachel... Alors son existence virerait au cauchemar.

C'est-à-dire, un cauchemar pire encore que celui dans lequel il se débattait aujourd'hui.

— Mac ? Tu te sens bien ?

— Très bien, dit celui-ci en ouvrant la porte du garage. Je ferais mieux de me dépêcher, Amanda va se demander où je suis passé.

— Comment s'appelle ta conseillère ?

— Euh... J'ai oublié. J'ai dû noter son nom à la maison.

Sur ce pieux mensonge, il s'éclipsa avant que son ami n'ait la mauvaise idée de l'interroger davantage, et se dirigea d'un pas rapide vers son vieux pick-up.

Comme tous les samedis, Amanda passait la soirée chez ses grands-parents maternels, qui constituaient désormais sa seule famille. Mac avait perdu sa mère l'année du troisième anniversaire d'Amanda ; quant à son père, il ne l'avait jamais connu, ce n'était qu'un mythe, le héros des histoires qu'on lui racontait dans son enfance, un chevalier intrépide mais irresponsable... Par la force des choses, Amanda et lui se reposaient donc largement sur George et Cindy McCormick, qui semblaient se réjouir de chaque moment passé en compagnie de leur gendre et de leur petite-fille.

En traversant la ville, il accéléra brutalement au croisement de Wilson et Pine pour résister au pouvoir d'attraction du pavillon décrépi qui faisait l'angle. La maison d'enfance de Rachel...

Cette femme était décidément partout. Où qu'il aille, les souvenirs l'assaillaient.

Pourtant la colère avait fini par s'estomper quelques années après son mariage. Fatigué de se morfondre pour une femme qui l'avait manifestement oublié, il s'était débarrassé des objets qui lui rappelaient le passé pour se focaliser sur son épouse et sa fille. A force, il avait réussi à ne plus penser à Rachel, ou si peu. Dans les images de sa jeunesse, elle avait dégringolé de son piédestal pour devenir une simple péripétie.

Jusqu'à sa réapparition inopinée l'autre jour, qui avait réduit ce bel équilibre à néant.

Pourquoi était-elle revenue ? Après lui avoir claqué la porte au nez, elle osait aujourd'hui lui proposer son aide ! Il n'arrivait pas à cerner ses motivations profondes. Et de toute façon, il ne voulait pas d'elle ici.

Seulement, il ne cessait de penser à elle.

Ce matin encore, il s'était trompé dans sa commande d'engrais — à deux reprises ! —, obnubilé par le souvenir de la leçon de conduite qu'il lui avait donnée un jour sur le parking du lycée. C'était l'été de ses seize ans. Rachel était tout excitée à l'idée de passer son permis. Comme son père refusait de la laisser s'entraîner sur la vieille Buick, Mac avait emprunté la voiture de son beau-père pour lui apprendre le maniement du levier de vitesses. Rachel s'était révélée une élève ingérable. Elle riait alors qu'il s'appliquait à lui donner des conseils utiles, et s'était ensuite emportée contre lui en constatant qu'elle n'arrivait à rien.

Cette journée avait été pour lui un long et merveilleux supplice. Son envie de toucher Rachel avait été si puissante, qu'il pouvait presque en sentir le goût dans sa gorge, après toutes ces années. Amer, brûlant… Quel effort sur lui-même il avait dû déployer ce jour-là pour se contenir !

Mac crispa violemment les doigts sur le volant.

« Je n'ai pas besoin de ça, songea-t-il. Mais alors, vraiment pas ! » Si seulement il arrivait à substituer à la fille obstinée et drôle d'autrefois la sublime reine de glace qui l'avait mis hors de lui…

Il alluma ses feux de croisement ; la nuit tombait. Superposer les deux images relevait de l'impossible. Naguère, la moindre émotion se lisait sur le visage de Rachel. Rien ne la prédisposait à acquérir le contrôle de soi qu'elle affichait aujourd'hui.

Sa petite fille, son bébé, suivrait-elle le même chemin que Rachel ? A force de se concentrer sur le présent, de s'évertuer à réparer les dégâts ici et maintenant, il songeait rarement à l'avenir et à ce que deviendrait Amanda plus tard…

A cette idée, son ventre se contracta.

Il se gara devant la maison en brique des McCormick et descendit sans tarder de sa cabine. Des insectes dansaient dans la lumière du porche. En approchant, il perçut de la musique et la rumeur d'une conversation à l'intérieur. Il s'immobilisa sur le seuil, guettant la voix d'Amanda. Son rire, surtout, lui manquait. Il avait tellement peur d'avoir pris ses désirs pour la réalité, l'autre soir…

— Salut la compagnie ! lança-t-il en poussant la porte.

Un parfum de sauce tomate et d'ail embaumait le rez-de-chaussée. Amanda passa la tête dans le hall.

— Salut, papa, dit-elle. Viens par ici !

Il suivit les arômes jusque dans la vaste cuisine aux couleurs gaies. Sa fille était assise au comptoir, devant une boule de glace à la vanille parsemée de copeaux de chocolat. Son parfum préféré. Elle mangeait ! « Merci, mon Dieu ! » songea-t-il.

— Bonsoir, Mac.

Cindy s'écarta de l'évier où trempaient les assiettes du dîner, pour venir plaquer ses mains solides sur les joues de son gendre.

— Tu as faim ? s'enquit-elle.

Cette femme débordait de générosité maternelle. C'était à croire que ce mètre soixante de chair avait été créé pour prendre soin de tout homme, femme, enfant ou animal croisant son chemin. Auprès d'elle, Mac se sentait plus choyé qu'il ne l'avait été de toute sa vie.

Quel dommage que Margaret n'ait pas hérité du tempérament de sa mère…

— J'avalerais volontiers un morceau, répondit-il en souriant.

— Bien. Assieds-toi, je vais accommoder quelques restes…

George, lui, était déjà aux fourneaux. Mac eut à peine le temps de s'installer au comptoir à côté d'Amanda. Moins d'une minute plus tard, un plat fumant de spaghettis était déposé devant lui.

— Mange ! ordonna George avant de se pencher

pour lui chuchoter à l'oreille : Et finis-les, comme ça demain j'aurai enfin droit à de la viande.

— J'ai tout entendu, George ! avertit sa femme avant de retourner s'occuper de la vaisselle.

Mac coula un regard vers sa fille, qui se frottait le poignet tout en dégustant sa glace. Une nouvelle fois, il fut frappé par la lassitude et la tristesse qui se lisaient dans son regard.

— Qu'est-ce que vous avez fait de beau ce soir ? lança-t-il à la cantonade avec une gaieté forcée, tout en plongeant sa fourchette dans le monticule de pâtes.

— Ma foi, si je veux encore marcher la tête haute dans cette maison, il va falloir que j'apprenne à tricher aux échecs, déclara George en s'adossant au comptoir.

Ses yeux brillaient derrière ses verres de lunettes. La vue de son sweat-shirt constellé de taches de sauce tomate fit sourire Mac. Pour lui, George avait tous les traits du grand-père idéal.

— Allez, Grandpa, tu as gagné la dernière partie, observa Amanda.

Mac baissa la tête pour dissimuler sa surprise. Il savait bien sûr qu'Amanda excellait aux échecs — elle avait toujours eu un instinct incroyable dans ces jeux-là — mais qu'elle taquine son grand-père, ça, c'était nouveau !

— De justesse, s'esclaffa ce dernier. J'ai dû appeler à l'aide Grandma…

— Tu parles d'une aide, marmonna Amanda.

Mac sourit à ses spaghettis. Sa fille était de retour. La petite fille qui lui manquait tant…

— Allons ! J'ai quand même donné un sérieux coup de main à ton grand-père ! protesta Cindy en retroussant ses manches.

— Très sérieux, renchérit George en clignant de l'œil vers Amanda.

Celle-ci ne souffla mot et prit une cuillerée de glace, un petit sourire au coin des lèvres.

— Comment s'est passé ton poker ? demanda George.

— J'ai perdu.

Cindy émit un vague grognement et lança d'un ton détaché en s'éloignant vers la cuisinière :

— Qui veut une camomille ? George ?

Dès qu'elle eut le dos tourné, Mac sortit de sa poche le cigare que lui avait remis Joe tout à l'heure et le tendit à George, qui l'empocha prestement. Cindy revint vers eux, deux sachets de tisane à la main.

— Avec plaisir, répondit son mari dans un tempo parfait.

Amanda se mit à tousser, mais Mac la soupçonna aussitôt de couvrir par là un fou rire, et son appétit s'en trouva décuplé. Il jouait de la fourchette avec entrain dans ses pâtes quand la sonnerie de l'entrée retentit.

— Tiens ! s'exclama Cindy en quittant la cuisine. Je me demande qui ça peut bien être.

La pauvre Cindy était une piètre comédienne. Sa réplique sonnait étrangement faux. Un ange plana dans la cuisine...

Mac se tourna vers George.

— Qu'est-ce qu'elle combine ?

George haussa les épaules, mais il mentait aussi mal que sa femme.

— C'est peut-être le professeur qui vient d'arriver en ville, celle qui loue l'appartement au-dessus de notre garage... Qui sait ?

— Amanda, à quoi jouent tes grands-parents ?

Mais Amanda n'avait visiblement plus envie de rire. L'enfant espiègle qui taquinait son grand-père avait déjà disparu.

— Aucune idée, chuchota-t-elle, les yeux rivés à sa cuiller penchée de manière à laisser dégouliner la glace jusque dans la coupe.

Les McCormick ne se rendaient pas compte de ce qui était en train de se passer. Même animés des meilleures intentions, comment auraient-ils pu déchiffrer aussi bien que lui les signaux émis par Amanda ?

Il s'apprêtait à prendre congé sous un prétexte

quelconque lorsque Cindy réapparut, flanquée d'une jolie blonde inconnue.

« Oh, non, songea Mac. Pas ça ! »

Ses beaux-parents se mettaient en tête de le caser, alors qu'Amanda évoluait au bord d'un précipice connu d'elle seule… C'était le bouquet ! Et quand bien même sa fille ne serait pas si fragile, il ne lui viendrait pas à l'idée de nouer une relation sentimentale maintenant. Pour rien au monde il ne commettrait la même erreur que sa propre mère, qui collectionnait les liaisons pour se consoler de tout et de rien…

Pas question qu'il impose à son tour pareille épreuve à Amanda. Il jeta un regard à George, mais le vieux renard faisait semblant de rien.

— Hé ! Regardez qui voilà… Bonsoir, Debra !

— Bonsoir, George, dit la jolie blonde avec un sourire indulgent.

Ses yeux filèrent vers Mac, qui se sentit rougir. « Je suis trop vieux pour ça », songea-t-il fugitivement.

— Quel bon vent vous amène ? enchaîna George d'un ton jovial.

L'interpellée se troubla.

— Eh bien… Cindy m'a téléphoné, elle m'a demandé de…

— Aimeriez-vous une tisane ? Je viens d'allumer la bouilloire, claironna la maîtresse de maison.

— Volontiers.

Debra ne manquait pas de charme. Grande et mince, les cheveux longs, le regard clair et pétillant. Dans une autre vie, Mac se serait peut-être penché sur son cas.

— Debra, je vous présente notre petite-fille, Amanda.

— Salut, dit Amanda d'une voix inaudible, les yeux scotchés à sa glace fondue.

— Salut, Amanda, repartit Debra avec la considération attentive mâtinée de douceur propre à beaucoup de professeurs.

— Moi, c'est Mac. Ravi de vous rencontrer.

Il se leva, la main tendue, avant que George et Cindy n'aient l'idée de le présenter comme un cœur esseulé à prendre d'urgence, ou quelque chose de tout aussi embarrassant.

— Moi de même, dit-elle avec un sourire en coin signifiant qu'elle avait deviné ce qui se tramait, et que cela ne la dérangeait pas vraiment.

Ce sourire émoustilla certaines parties du corps de Mac, mais aussi son ego de mâle, trop négligé ces derniers temps. En d'autres circonstances…

Il en serait presque venu à regretter de n'avoir à offrir à cette femme qu'un foyer en miettes, une enfant aigrie et une énorme frustration sexuelle.

— Debra, intervint Cindy, Mac ici présent est…

— Sur le point de rentrer chez lui, acheva celui-ci en s'éloignant vers le hall.

— Voyons, Mac, rien ne t'oblige à partir si vite !

Les yeux de sa belle-mère ne mentaient plus et lui demandaient déjà pardon. Quant à Debra, ses joues avaient viré à l'écarlate.

— Je peux peut-être...

— Non, non, restez, dit Mac qui avait pitié d'elle. Savourez tranquillement votre tisane et demandez à George de vous raconter son voyage à Mexico, c'est une histoire incroyable. Je dois me lever très tôt demain pour travailler. Prête ? demanda-t-il à Amanda.

Sa fille acquiesça et se leva sans produire le moindre bruit. Le spectre glacé qu'il côtoyait depuis des mois était de retour. Un spectacle à fendre le cœur.

— Bonne nuit, Grandpa.

Elle s'enfouit dans les bras de George, qui pressa un gros baiser sur sa tête.

— Merci pour le dîner, Grandma...

— Tu reviens quand tu veux, ma chérie. Allez, je vous raccompagne, dit Cindy.

Une fois sur le perron, Mac tendit les clés du pick-up à Amanda.

— Ma puce, tu veux bien faire chauffer le moteur ? J'arrive dans une seconde.

Amanda prit le trousseau en jetant un bref regard à sa grand-mère et traversa en courant le jardin plongé dans le noir.

— Il faut que ça cesse, déclara Mac, les mains sur les hanches.

— Je te demande pardon. Mon intention n'était pas de te contrarier…

Cindy lui tapota l'épaule, puis rajusta le col de sa veste.

— Tu m'avais déjà dit ça la dernière fois, et voilà que tu recommences…

— Je sais. Je ne veux que le bonheur de mes deux enfants préférés.

Lui, un enfant ? Mac dissimula un sourire.

— Comprends-moi, dit-il, ça me fait tout drôle que mes beaux-parents cherchent à me caser…

— Il faut bien que quelqu'un te pousse à sortir de ton trou !

— Mais… Margaret n'est partie que depuis un an.

— Mac…

Le ton se fit compatissant, si bien que Mac se cuirassa d'instinct contre ce qui allait suivre.

— Tu sais comme moi qu'elle est partie depuis bien plus longtemps que cela. Elle ne faisait déjà plus partie de ton foyer les cinq dernières années de sa vie.

— Tu exagères.

— Inutile de nous ménager, trancha Cindy. George et moi savons qui était Margaret. C'était une fille méchante et superficielle, qui est devenue une femme méchante et superficielle…

— Cindy !

— Non, Mac. Pourquoi persistes-tu à prétendre que tout allait pour le mieux dans le meilleur des mondes ?

— Margaret était ma femme. Elle était la mère de ma fille… Qu'est-ce que tu voudrais que je fasse ?

Leur mariage n'était peut-être pas parfait, mais il tenait la route, pour la bonne raison qu'ils faisaient tout pour. C'était ce qu'il avait tenté d'expliquer à Rachel, mais il avait bien vu qu'elle n'en croyait pas un mot. Sa compassion l'avait piqué au vif.

Cindy leva la main.

— Je sais, concéda-t-elle. Je suis désolée. Je m'inquiète pour vous, c'est tout.

— Il n'y a pas de quoi. On fait aller, répliqua-t-il avec le sourire, tout en se demandant si les mensonges finiraient un jour.

— Oh, Mac… Tu es un homme bien, et cette petite, là-bas, dans le pick-up, est un merveilleux cadeau que tu nous as fait.

Cindy posa alors les paumes sur son torse, pile sur son cœur. Il fut pris d'une envie terrible de se rouler en boule pour se faire dorloter par ses beaux-parents et les laisser tout régler avec une bonne glace au chocolat...

— Cindy...

— Non, c'est toi qui vas m'écouter. Vous êtes une bénédiction dans notre quotidien morne de retraités. Nous aimerions seulement que vous soyez plus heureux. Amanda est grande, maintenant, et elle t'aime, souffla Cindy. Je suis persuadée que si tu te décidais à lui parler de sa mère, certains de vos problèmes actuels seraient résolus.

« Si seulement ! » songea Mac.

— Est-ce qu'elle t'a dit que la Protection de l'enfance nous avait envoyé une nouvelle conseillère ?

Cindy acquiesça.

— Quand elle a prononcé le nom de Rachel Filmore, j'ai failli tomber à la renverse. Cela doit te faire plaisir de la revoir ?

De son histoire avec Rachel, sa belle-mère ne savait que l'essentiel, comme tout le monde en ville — ils avaient été d'excellents amis. Ne voyant aucune raison de la détromper, il sourit et délivra un énième mensonge du bout des lèvres.

— Très ! J'espère qu'elle pourra nous aider.

— Ta fille semble l'apprécier, en tout cas.

— Vraiment ?

— Oui, elle nous a demandé si nous la connaissions, à quoi elle ressemblait, adolescente... Si ses parents habitaient toujours ici... Je crois qu'elle a même obtenu de son grand-père qu'il l'emmène au café manger une part de tarte, tout à l'heure, en mon absence.

Sa fille se posait des questions sur Rachel ? Une peur insidieuse envahit Mac.

— Elle est encore célibataire ? demanda Cindy d'un air innocent.

— Oh, pitié… Tu n'arrêteras donc jamais ?

— Jamais, confirma sa belle-mère en souriant…

Et l'espace d'un instant, Mac entrevit Margaret dans ce sourire, la Margaret de leurs débuts, avant que la situation ne dégénère.

— Tu as besoin d'une femme pour retrouver le goût de la vie, Mac. Pour t'amuser, te détendre, faire l'a…

— Stop ! s'écria Mac en se bouchant les oreilles. Je ne t'écoute plus.

— Alors, va-t'en vite chez toi !

Il embrassa sa belle-mère sur la joue, bénissant malgré tout sa bonne étoile de lui avoir envoyé les McCormick, et courut rejoindre Amanda.

Une fois assis au volant, il enclencha la marche avant et proposa :

— On s'offre une autre glace en ville ?

— Plus faim, dit Amanda d'une voix morne sans le regarder.

— Alors, cap sur la montagne !

— Grandma et Grandpa essayaient de t'arranger le coup avec cette femme, non ? remarqua-t-elle au bout d'un moment, alors qu'ils traversaient la ville.

— A ton avis ? dit Mac en décochant un sourire complice à sa fille, malgré l'étau qui lui enserrait la poitrine.

— Tu vas sortir avec elle ?

— Jamais de la vie. Et toi ?

Il attendit un sourire, qui ne vint pas.

— Rachel m'a raconté comment vous vous étiez rencontrés.

Mac mit une bonne minute à recouvrer une voix à peu près normale.

— Ah bon ? fit-il.

— Tu étais un scientifique pur et dur, à ce qu'il paraît.

Amanda tourna le visage vers lui ; il crut apercevoir un bref sourire.

Où voulait-elle en venir ?

— Ma foi, commença-t-il prudemment, elle était bien placée pour me juger. J'étais ami avec elle à ma pire époque.

Ses années d'adolescence lui revinrent à la mémoire sous la forme d'un collage — choix vestimentaires douteux, fixation incongrue sur le cinéma d'avant-guerre… Sérieux penchant pour les sciences, d'accord. Et zéro talent pour la vie en société.

« Un vrai crâne d'œuf », songea-t-il effaré.

— Est-ce qu'elle connaissait maman ?

— Sûr, répondit Mac, les yeux rivés à la route.

— Elles étaient amies ?

Il inspira et fit mine de soupeser la question avec le plus grand sérieux.

— Voyons… Rachel est partie juste après le bac… En fait, elles n'ont pas eu l'occasion de se lier vraiment.

Amanda hocha la tête.

— Est-ce que Rachel est venue à votre mariage ?

— Non.

L'hypothèse était si saugrenue qu'il faillit en sourire.

— Elle était ta petite amie, avant maman ?

— Pourquoi toutes ces questions, Amanda ?

Amanda haussa les épaules. Ah ! Ce mouvement négligent, à peine ébauché, qu'elle affectionnait tant ces derniers mois… Il finissait par le détester.

Il le détesta plus encore lorsqu'elle recommença, tournée cette fois vers sa vitre, si bien qu'il se trouva en train de répondre dans le vide :

— Ce n'était pas ma petite amie. C'était juste une amie.

Pas de réaction.

Mac se surprit à souhaiter que vienne une autre question, dût-elle concerner Rachel, pourvu que le dialogue se poursuive... mais rien ne vint.

Avec un soupir, il se concentra de nouveau sur la conduite.

La lueur blafarde de la lune dessinait sur le tableau de bord, les sièges et le sol, entre sa passagère et lui, une myriade d'ombres grises mouvantes. Mac se plut à comparer ces ombres aux débris du navire naufragé de leur vie d'avant. Perdus parmi ces vestiges disloqués, aux angles tranchants, ils n'osaient bouger ni l'un ni l'autre, de peur d'une entaille fatale...

L'idée de convier dans cet univers dangereux une autre femme était aberrante.

Quelle chance que Rachel soit devenue reine de glace ! songea Mac avec amertume. Sa froideur la protégerait des miasmes de leur foyer...

Mais à quoi bon s'inquiéter pour elle ? Même dans ces conditions, il était loin de détenir lui-même le pouvoir dévastateur qu'elle avait exercé sur lui.

Minuit.

Ombre parmi les ombres, attentive à éviter les flaques de lumière dorée sous les réverbères, Amanda n'hésita pas à sauter quelques barrières et à couper par les jardins particuliers pour ne pas perdre sa cible de vue.

Précaution inutile. Eve Filmore rentrait chez elle sans hâte, en traînant les pieds, les épaules voûtées dans son uniforme de serveuse démodé qui semblait sorti d'une sitcom. A l'angle de Wilson et de Pine, elle obliqua enfin sur la droite dans une petite allée.

Sur le trottoir d'en face, cachée dans le feuillage du saule pleureur des Anderson, Amanda regarda, ébahie, la maison dans laquelle Rachel avait grandi.

Quel trou !

Sans blague, c'était la baraque la plus moche, la plus délabrée du quartier... Les volets pendaient sur leurs charnières, un grand morceau de carton remplaçait la vitre de la fenêtre donnant sur la rue...

Arrivée sur les planches inégales et affaissées de la véranda, Eve fit tomber ses clés. Elle se pencha en jurant. La seule chose de bien dans cette bicoque, songea Amanda, c'était que son crépi extérieur tout écaillé donnait l'impression qu'elle était couverte de papillons.

Elle se frotta machinalement les bras. Malgré deux autres séances avec Rachel, elle avait réussi à garder tous ses secrets. Elles avaient discuté des garçons, du collège et de son papa, beaucoup. Mais se taire devenait chaque fois plus difficile, tant le besoin de parler la démangeait. Les abeilles se pressaient sous sa peau et contre ses dents serrées…

Là-bas, Eve avait fini par ouvrir la porte à treillis, qui grinça comme un bébé braillant de faim. Elle s'engouffra à l'intérieur. Une lumière apparut. Amanda la vit s'avancer dans le salon et prendre une cigarette.

Elle se mit à rire.

Au début, ce fut presque douloureux. Comme de s'arracher une croûte. Mais très vite, il lui fut impossible de s'arrêter. Elle riait, riait… Son ventre lui faisait mal maintenant, ses yeux pleuraient, sa gorge la brûlait…

Vivement jeudi, qu'elle puisse interroger Rachel… Son enfance avait dû être un enfer, dans une maison pareille ! Avec une mère pareille !

« Si je lui parle, songea Amanda, peut-être qu'elle comprendra. Et peut-être que tout redeviendra normal ! »

Chapitre 7

Etait-il encore possible, au XXIe siècle, de ne pas avoir de répondeur ?

Les sonneries se succédaient à l'autre bout du fil, là-bas, au Twirling G. Ranch… sur un vieux poste à cadran, à tous les coups…

Rachel piaffait. Jusqu'ici, elle avait fait chou blanc dans ses recherches sur l'affaire Edwards. Personne ne daignait répondre au téléphone ! Le message laissé hier à Billy Martinez était demeuré sans réponse, et ceci était sa cinquième tentative pour joindre le ranch de Gatan Moerte. Elle avait besoin d'infos, d'indices tangibles, qui l'aident à comprendre pourquoi Christie et Amanda avaient choisi de brûler cette ferme-là et pas une autre…

— J'abandonne, soupira-t-elle.

Autant se rendre là-bas en personne.

Elle ôta ses pieds du petit meuble de rangement et s'apprêtait à reposer le téléphone lorsqu'une voix s'éleva dans l'appareil. Enfin !

— Allô ?

— Allô ! s'exclama Rachel. Je suis bien au ranch Moerte ?

— Yep, fit son interlocutrice avec un accent qui lui évoqua tout de suite Annie Oakley, la fine gâchette du Far West.

— Pourrais-je parler à Gatan, s'il vous plaît ?

— Non, désolée. Il se repose.

— Dans ce cas... A quelle heure puis-je le rappeler ?

— Si vous cherchez une pension pour votre cheval, ou des leçons d'équitation, c'est à Jake que vous devriez vous adresser.

— Jake ? Le... le contremaître, peut-être ? hasarda Rachel tout en griffonnant le nom sur son calepin.

Sa question fut saluée d'un éclat de rire si contagieux que Rachel sourit malgré elle.

— Quelque chose comme ça, ouais. Je vous donne le numéro du centre équestre...

Rachel avait à peine raccroché que le téléphone se mit à sonner. Elle pesta. Comment était-on censé travailler, entre les coups de fil, les réunions, les courriels ?

— Rachel Filmore, marmonna-t-elle en coinçant l'appareil sur son épaule.

— Bonjour, Rachel. Ici Billy Martinez.

La jeune femme lâcha son stylo et se redressa sur son fauteuil.

— Merci de me contacter si vite, monsieur Martinez. Je m'attendais à quelques échanges de messages sur répondeur.

— Ce serait une perte de temps. Et je vous en prie, appelez-moi Billy.

En entendant sa voix profonde et cordiale, Rachel se réjouit que Mac et Amanda aient cet homme pour allié.

— C'est moi qui ai repris le dossier Edwards, expliqua-t-elle. Je souhaitais vous contacter à propos du volet judiciaire concernant Amanda.

— Je suis soulagé de l'apprendre. Frank était loin d'être aussi facile à joindre.

Notant la réprobation dans la voix de son correspondant, Rachel songea qu'elle n'aurait jamais fini de rattraper les bourdes de son prédécesseur.

— Je suis beaucoup plus disponible que lui, confirma-t-elle.

— Parfait. Avant toute chose, Rachel… J'ai mené ma petite enquête de mon côté, et ce que j'ai découvert me cause du souci. Ainsi, j'ai cru comprendre que vous aviez décroché votre baccalauréat au lycée de New Springs la même année que Mac Edwards…

Rachel faillit lâcher le téléphone.

— Comprenez-moi bien, reprit l'avocat, je ne

voudrais pas me montrer discourtois. Afin de servir au mieux mes clients, j'ai besoin de m'assurer qu'il n'y a pas d'enjeu particulier dans ce cas précis…

— Absolument pas, répondit Rachel d'un ton ferme, je vous le garantis. Je ne pense qu'au bien-être d'Amanda.

— Sommes-nous d'accord que ce bien-être suppose qu'elle reste avec son père ?

— Tout à fait d'accord.

— Très bien. Alors, nous sommes dans le même camp. A présent, je vous écoute.

Rachel s'aperçut alors que toutes les questions qu'elle avait préparées s'étaient bizarrement effacées de sa mémoire. Elle choisit de biaiser.

— Je souhaitais effectivement vous interroger… Billy, mais il se trouve que j'ai rendez-vous avec Mac Edwards dans moins d'une demi-heure. Pourrions-nous reporter cette conversation à plus tard ?

Après un court silence, Billy finit par acquiescer. Ils convinrent d'un autre rendez-vous téléphonique, et Rachel put enfin raccrocher, avec la désagréable sensation d'avoir été prise la main dans le sac comme une gamine.

Un regard à sa montre lui arracha un petit cri. Si elle ne partait pas dans la seconde, elle serait en retard chez Mac. Mieux valait ne pas s'exposer à des reproches supplémentaires. Elle saisit sa veste, sa mallette…

— Où cours-tu comme ça ?

Rachel sursauta et porta la main à son cœur.

— Seigneur, Olivia ! Ne me refais jamais ce coup-là !

— Je suis là depuis au moins deux minutes, je pensais que tu m'avais entendue. Peut-on savoir où tu vas ?

— Affronter les embouteillages, répondit Rachel avec un sourire penaud. J'ai un entretien à 17 h 30.

— Où ? insista Olivia en s'adossant au chambranle.

Rachel n'hésita qu'une fraction de seconde. Si elle répondait la vérité, Olivia lui parlerait forcément de sa mère…

— Casitas, dit-elle.

— Ouch ! fit Olivia en s'écartant du passage. Cours !

— Merci.

— Je t'accompagne, ajouta son amie en lui emboîtant le pas dans le couloir. Pendant que j'y pense, où en es-tu, avec la petite de New Springs ? La flèche rouge.

Rachel commença à regretter son mensonge.

— J'ai eu plusieurs entretiens avec elle et son père, et tout se passe bien pour le moment, répondit-elle en lorgnant au passage sur le chariot du courrier la pile d'enveloppes arrivée dans l'après-midi. Au fait, peux-tu me rendre un service ?

— Ça dépend. Tu assisteras à la réunion du personnel, demain ?

Rachel se mordit la lèvre. Son absence, la fois précédente, n'était donc pas passée inaperçue.

— Navrée pour la semaine dernière, dit-elle. J'étais en entretien avec un professeur qui n'avait que quelques minutes à m'accorder entre deux classes. Je ne pouvais pas l'interrompre, c'était pour Aman…

Elle s'interrompit net.

— C'était pour la flèche rouge, rectifia-t-elle.

— Ah, fit Olivia en souriant, elle a donc un prénom ? Etrange… Je n'ai pas le souvenir d'un autre de tes dossiers portant un prénom…

— Rien ne t'échappe, petite futée. A présent, veux-tu me rendre un service, oui ou non ?

— Dis toujours.

— Pourrais-tu trouver qui gère le dossier de Christie Alvarez ? J'ai besoin de comparer les notes.

— Pas de problème.

Olivia fit passer une pile de chemises d'un bras vers l'autre pour presser la bouton d'appel de l'ascenseur.

— Tu es d'accord avec Frank, pour retirer la fille de chez son père ? demanda-t-elle.

« La fille, comme tu dis, se prénomme Amanda », répliqua Rachel en pensée, les yeux fixés sur les numéros d'étages qui défilaient au-dessus des portes.

— Non, répondit-elle. La famille a besoin d'aide, c'est clair, mais je ne penche pas pour un placement.

La cabine émit un tintement. Les portes de la cabine s'ouvrirent en coulissant.

— A demain, dit Rachel en se glissant à l'intérieur.

— Bonne route jusqu'à New Springs !

Elle leva les yeux, stupéfaite.

— Tu fais une piètre menteuse, ajouta Olivia, le visage grave, en agitant l'index dans sa direction. Et d'abord, tu ne devrais pas me mentir !

— Je suis désolée, Olivia, bredouilla Rachel en bloquant les portes avec sa mallette. Je n'avais pas envie de parler de ma mère ou de…

— Je veux juste savoir ce que tu fais. Pour le reste, je suis capable de respecter ta vie privée, il me semble.

— Tu plaisantes ? cria presque Rachel. Tu ne connais même pas le sens de ce mot !

Olivia poussa la mallette et agita la main en signe d'adieu tandis que les portes se refermaient.

***

Rachel mit à profit le long trajet vers les montagnes pour faire le point sur ses bonnes résolutions.

Un : ne plus jamais mentir à Olivia, qui pour être son amie n'en était pas moins sa responsable directe. C'était une très mauvaise idée.

Deux : ne plus se laisser entraîner dans un conflit avec Mac. Quoi qu'il fasse, quoi qu'il dise, elle resterait zen, en vraie professionnelle, et garderait son sang-froid jusqu'au bout.

Trois : ne plus se laisser distraire par le charme de Mac ni par leurs souvenirs communs. Ces accès de faiblesse regrettables cesseraient dès aujourd'hui.

Ainsi plus tard, en frappant chez les Edwards, Rachel se sentait calme, sereine, parfaitement maîtresse de la situation.

— Entre, dit Mac en s'effaçant devant elle.

Il était en train d'enfiler un T-shirt, les cheveux encore humides de la douche. Avant de détourner les yeux, Rachel eut un bref aperçu du ventre mince, ferme.

Et sa parfaite sérénité s'envola d'un coup.

— Je pensais te proposer de discuter dehors, dit-il. Il fait si beau et… Je n'ai pas eu le temps de ranger.

Rachel suivit son regard vers la cuisine et le salon, l'un et l'autre irréprochables. Mac avait toujours été soigneux.

— Ta maison est impeccable…

— A tes yeux, peut-être, répliqua-t-il avec un bref sourire.

Ils détournèrent la tête en même temps. Par comparaison, Rachel aurait pu passer pour une souillon, et c'était ainsi depuis l'enfance…

Cette résurgence imprévue du passé provoqua un léger malaise. Mac toussota.

— Entre donc…

Sa décontraction avait quelque chose de troublant. Il recevait son invitée pieds nus, pas coiffé, à moitié habillé seulement, dans une maison qu'il jugeait en désordre…

L'invitée en question se retrouvait ainsi face à un obstacle de taille. Ce n'était pas seulement les souvenirs qui exerçaient sur Rachel un fort pouvoir d'attraction. C'était Mac. Ou plutôt l'homme que Mac était devenu, qui se démenait pour redresser la situation par amour pour sa fille… Egal à lui-même, et tellement plus !

Elle n'arrivait même plus à respirer normalement. La faute à ce carcan d'indifférence qu'elle s'imposait en présence de Mac… Mais, le moyen de faire autrement ? Il lui fallait résister aux remous provoqués par ces petits moments d'intimité avec lui…

Cette intimité cependant servait sa mission. Elle lui permettait de mieux cerner le quotidien de Mac et Amanda. Ainsi, ces romans abandonnés ouverts sur la table basse — un thriller de Tom Clancy et *Quatre Filles et un Jean* — étaient plutôt bon signe…

Le doute n'était plus permis : Frank s'était trompé. La place d'Amanda était ici, avec son père. Néanmoins, ils avaient encore du pain sur la planche.

— Installe-toi sur la terrasse, je te rejoins avec du thé glacé, proposa Mac en s'éloignant vers la cuisine.

Rachel enjamba une paire de bottes de travail et un cartable et alla ouvrir la baie vitrée donnant sur l'arrière, côté vallée.

La vue était extraordinaire. Un panaché de verts et de gris pâles… Au loin, un rapace dessinait des cercles lents et paresseux. C'était le lieu le plus paisible que Rachel ait jamais connu. Rien n'existait plus hormis le silence, les battements sourds de son cœur — et un souvenir d'un autre temps qui refit brusquement surface.

Elle avait six ans. Son père l'avait emmenée dans ces montagnes, ils avaient emprunté le chemin forestier jusqu'à la carrière qui deviendrait plus tard son refuge avec Mac. Alors qu'elle s'amusait à lancer des cailloux dans le grand trou, guettant le bruit du plongeon tout en bas, son père avait remis sa fiasque dans sa poche et lui avait demandé :

— Ça te dirait d'être une grande sœur ?

Elle n'avait pas répondu. La question avait l'air d'un piège et si elle répondait mal, peut-être qu'il la pousserait dans le vide comme les cailloux.

— Ben, faudra t'y faire !

Il avait ri. Ce son l'avait tellement étonnée, qu'elle avait failli tomber à la renverse.

— Attention, avait-il grondé en l'attrapant rudement par l'épaule.

Puis il avait ramassé une grosse pierre, de la taille de sa paume. Ou du bleu qu'elle avait récolté dans le dos la semaine d'avant, quand elle avait oublié de fermer la porte à treillis.

— Regarde ça, petite !

Il avait lancé la pierre le plus haut possible vers le ciel. Une main en visière, Rachel avait regardé la pierre décrire un arc dans l'azur. Elle planait là-haut avec le soleil, les nuages, les oiseaux, et Rachel s'était sentie toute légère. Elle avait respiré plusieurs fois pour remplir son corps d'air printanier tout en priant : « Ne reviens pas ! Reste là-haut ! »

La pierre avait rebondi sur la pente, deux fois, trois fois, avant de plonger dans l'eau.

« Je vais devenir une grande sœur », avait-elle pensé en regardant son père allumer une cigarette et jeter l'allumette par terre. Mais comment allait-elle protéger ce bébé ?

⁂

Mac contemplait fixement le dos de Rachel. La cambrure subtile des chevilles et des mollets au-dessus des talons hauts. Le doux renflement des hanches, sous la jupe bleu sombre. La brise jouant dans ses cheveux. Qui sait pourquoi, ce tableau suffisait à éveiller son désir.

Simple, songea-t-il. Cela faisait des lustres qu'il n'avait pas couché avec une femme, et celle-ci portait une jupe.

Pourtant il y avait plus que cela. Il revit le regard de Rachel s'attacher à lui une fraction de seconde lorsqu'il lui avait ouvert la porte. Elle avait rosi, les yeux écarquillés, puis baissé la tête pour fixer la pointe de ses chaussures, selon un réflexe contre lequel elle luttait en vain depuis toujours. Il n'avait pas oublié.

La conseillère Filmore n'était donc pas de marbre ! Rien que de savoir cela, Mac se sentit tout à coup… rajeuni. Téméraire.

Il s'avança sur la terrasse en refermant du coude la baie vitrée derrière lui, et posa les deux verres de thé glacé sur la table.

Rachel n'avait pas bougé. Ses yeux ne quittaient pas la vallée. Il se frotta les joues pour reprendre ses esprits, et déclara :

— Quelquefois, j'ai du mal à croire que j'habite ici.

— C'est beau, murmura-t-elle sans se retourner.

Il s'approcha d'elle et pointa le doigt par-dessus son épaule, humant avec bonheur le parfum fleuri de sa chevelure.

— Il y a une source à l'extrémité sud de la propriété. Chaque printemps, je vais remplir des bouteilles avec Amanda. Cette eau a le goût le plus doux que je connaisse.

« A l'exception de ta peau », aurait-il pu ajouter. Cette pensée lui causa un léger vertige, comme un alcool fort absorbé l'estomac vide.

— C'est bien, commenta Rachel d'une voix assourdie qui lui caressa les sens. Comment as-tu fait pour mettre la main sur un endroit pareil ?

— Tu veux dire… la source ?

— Non, l'ensemble… Ces terres, la villa…

Elle se retourna alors, et lui, bêtement, recula d'un pas, pour qu'elle ne voie pas jusqu'où il s'était approché.

— Ce devait être hors de prix ?

La remarque le doucha. Il mesura soudain l'absurdité de la situation et le charme de l'instant s'évapora.

Elle était pour lui un objet de désir, il n'était à ses yeux qu'un voleur.

— Comment ce bon à rien de Mac Arthur Edwards

a-t-il bien pu se payer un truc aussi géant ? C'est ça que tu me demandes ? aboya-t-il.

Les joues de Rachel s'empourprèrent.

— Ce n'est pas ce que je voulais dire !

— Peut-être, mais tu l'as dit.

Il partit d'un rire amer qui acheva de creuser le fossé qui les séparait déjà la semaine dernière. L'atmosphère vira à l'orage.

— Je n'avais pas l'intention de t'offenser.

Rachel avait recouvré ses airs de reine de glace, le nez pointé si haut qu'il s'étonna de ne pas la voir trébucher sur ses propres pieds, a fortiori sur des êtres inférieurs comme lui.

— Je ne suis pas offensé. Je suis furieux. Nuance !

L'envie le démangea de la pousser à bout. De la briser, jusqu'à ce qu'elle saigne comme lui.

Quelle plaie, cet entretien obligé avec elle ! Il allait devoir lui ouvrir grand les portes de son intimité, lui montrer toutes ces ruines qu'il ne savait comment reconstruire... Et elle demeurait impavide, insensible à son malheur, alors que tous deux ne faisaient qu'un, il n'y avait pas si longtemps...

Tout cela, ajouté au désir brutal qui le taraudait depuis qu'elle était entrée ici, lui donnait des envies de meurtre.

« Calme-toi, Mac. C'est elle qui a toutes les cartes en main ! »

— J'ai travaillé pour le vieux Dyer, dit-il d'une voix atone, les yeux fixés sur l'horizon. A sa mort, les parents de Margaret nous ont aidés à réunir un acompte pour financer la construction de cette villa et nous avons logé ici, dans un camping-car, jusqu'à la fin des travaux. Ce n'était pas terrible, mais je n'ai pas pu faire mieux.

Rachel ne fit aucun commentaire.

— Nous devrions nous mettre au travail, dit-elle.

Elle souhaitait donc faire comme si de rien n'était ? Ignorer les souvenirs qui se dressaient entre eux par brassées ? Qu'à cela ne tienne ! Il s'en tiendrait lui aussi à cette ligne de conduite.

— Excellente idée, dit-il en s'inclinant vers ses deux verres à moutarde remplis de thé comme s'il lui désignait la meilleure table du Ritz.

Rachel s'assit sans un mot tandis qu'il s'installait en face d'elle, inspirant à petites goulées pour recouvrer son flegme. Il fallait garder à l'esprit le plus important : Amanda.

— Feu ! lança-t-il en grimaçant un sourire, les mains croisées sur la nuque.

Rachel ouvrit son dossier. Le vent léger agitait ses vêtements, les pointes de ses cheveux, tous ses papiers... Dieu ! Qu'elle était belle...

— J'ai vérifié l'évolution des résultats scolaires d'Amanda, déclara-t-elle en feuilletant ses notes.

Tu avais raison, ces résultats sont restés très bons après le décès de sa maman. Ses professeurs ont tous confirmé que ses problèmes de conduite ont commencé en milieu d'année.

Une vague de soulagement déferla sur Mac, qui laissa retomber ses mains.

— Bien. Que peut-on en déduire ?

— Il pourrait bien sûr s'agir d'une réaction à retardement à la mort de Marga…

Le mot s'étrangla dans sa gorge.

— A la mort de sa mère, souffla-t-elle en tendant la main vers son verre de thé.

— Ou bien… ?

— Ou bien il s'est passé autre chose, qui a tout déclenché.

Rachel le fixa un moment, sans qu'il comprenne au juste ce qu'elle essayait de lui faire dire. Enfin, elle se décida.

— Aurais-tu commencé à… fréquenter une autre femme ? Ce genre de chose peut souvent…

— Bien sûr que non ! se récria Mac horrifié.

— Est-ce qu'elle aurait pu te voir avec une femme ? Même de manière fortuite ?

Le corps tout entier de Mac se contracta de colère.

— Je ne ferais jamais ça à ma fille, Rachel, répliqua-t-il en se maîtrisant de son mieux. Sincèrement, tu m'imagines en train de me pavaner avec des femmes dans cette maison, alors qu'Amanda est manifestement en grande souffrance ?

Il s'abstint d'ajouter : « Comme faisait ma mère, alors que j'étais moi-même au plus mal. » C'était inutile.

Que Rachel le croie capable d'une chose pareille, qu'elle ait pu si facilement oublier les épreuves qu'il avait traversées tandis que son passé à elle était encore gravé dans sa mémoire, voilà qui faisait mal, très mal.

Elle baissa les yeux sur ses mains, qu'il avait posées sur la table non loin des siennes. Il se demanda ce qui se passerait s'il effleurait le bout des ongles pâles… puis les os si fins de son poignet…

Rachel retira brusquement ses mains comme si elle avait deviné ses intentions. Il se secoua pour émerger de sa transe.

— Non, dit-elle enfin, je ne te vois pas du tout faire ça.

Mac se renversa contre le dossier, soulagé de tenir enfin une preuve de confiance de sa part, fût-elle légère. Il savait qu'il devrait batailler pour en grappiller une miette après l'autre. Quelle importance… Pourvu qu'à la fin, il puisse vivre en paix avec sa fille !

Un souffle de vent capricieux souleva l'ourlet de son T-shirt. Il surprit le regard fiévreux de Rachel et, subitement, il lui vint à l'esprit une foule de détails qu'il aurait eu grand plaisir à rappeler à sa vieille amie. La force avec laquelle elle se serrait contre lui, ce fameux soir du bac, comme pour s'imprégner de sa chaleur… Les baisers dont elle l'abreuvait en chuchotant : « Je reste ! », au creux de son cou… Les gémissements qui s'échappaient de ses lèvres quand il l'embrassait…

Il se rajusta en hâte et tendit vers son thé une main tremblante.

— Donc, dit-elle en tournant une page, il me semble que nous devons chercher un autre événement déclencheur… As-tu la moindre idée de ce qui a poussé les filles à s'attaquer à Gatan Moerte ?

— Non. Christie, je ne sais pas, mais Amanda n'a rien voulu m'expliquer.

Rachel secoua la tête d'un air perplexe.

— Je me demande comment elles ont fait sa connaissance…

C'était un réel soulagement de constater qu'elle prenait la situation très au sérieux. A aucun moment, Frank n'avait pris de notes. Il se bornait à émettre des jugements hâtifs et, ensuite, sa position ne variait pas d'un iota. De quoi rendre n'importe qui fou furieux.

— Quand j'étais petite, reprit Rachel, c'était déjà un vieil homme qui vivait coupé du monde… Il doit avoir près de quatre-vingt-dix ans, maintenant !

— Au moins ! Je sais seulement que Christie a travaillé dans son centre équestre.

Rachel griffonna quelques mots dans le dossier.

— Elle s'est prise de passion pour les chevaux il y a environ deux ans, et elle a échangé des cours d'équitation contre le nettoyage des écuries et d'autres corvées du même ordre. Amanda la rejoignait parfois là-bas après la classe, pour lui donner un coup de main.

— Ça lui plaisait ?

— Enormément. Je projetais même de lui payer des leçons, mais après l'accident…

Il poussa un gros soupir et baissa la tête. De l'accident de Margaret, datait la fin de leur vie normale.

— Est-ce que les filles continuent à se fréquenter ? Est-ce qu'elles sont toujours amies ?

— J'ai préféré interdire à Amanda de voir Christie. Par précaution.

— Es-tu certain qu'elles ne se voient pas en douce ? La nuit, par exemple ?

— Eh bien, à part au collège, oui, j'en suis sûr. Amanda n'est pas du genre à faire le mur.

— Mac, ce n'est pas parce qu'elle n'a pas le droit que…

— Tu penses à nous, c'est ça ?

Le mot lui avait échappé.

Nous.

Ce petit mot de rien du tout, prononcé par inadvertance, fondit sur eux comme la foudre. L'effet fut spectaculaire. Les grands yeux verts de Rachel s'arrondirent de stupeur, ses lèvres s'entrouvrirent…

Nous.

Quelle puissance, ces quatre lettres, songea Mac. Et quelle douceur à la fois ! Un nom était enfin apposé sur le sentiment d'intimité qui flottait entre eux. Avec lui, ils formaient un duo. Une équipe. Il y avait le reste du monde, et il y avait *nous.*

Une pluie de souvenirs à demi oubliés s'abattit sur Mac. L'été où il avait attrapé une mononucléose et où Rachel lui avait apporté tous les jours un Esquimau glacé. L'après-midi où il lui avait appris à pêcher, et où elle l'avait mis au défi de plonger nu dans le lac, au pied de la carrière. Le matin où elle avait reçu de son père un œil au beurre noir et où ses larmes les brûlaient l'un et l'autre comme de l'acide…

C'était à peine s'il distinguait encore la Rachel d'aujourd'hui, parmi toutes les visions d'elle plus jeune qui défilaient devant ses yeux.

— Oui, je pensais à… nous, enfants, dit-elle en s'éclaircissant la gorge, les yeux baissés.

— Rachel, tes parents te consignaient dans ta chambre et ensuite ils pensaient à autre chose. Je n'ai pas oublié la leçon, quand j'ai interdit à Amanda de sortir. Elle ne va nulle part à mon insu. Je dois la forcer pour qu'elle daigne descendre !

— Bien, dit Rachel, penchée sur ses notes. Enfin, non… C'est dommage, bien sûr, de devoir la forcer…

Sa voix mourut. Leur embarras était palpable.

Mac aurait donné cher pour revenir quelques années en arrière, lorsqu'il n'avait besoin que d'un regard pour connaître les pensées de Rachel.

— Est-ce qu'elle sort plus souvent, ces jours-ci ?

— Je l'ai emmenée au cinéma, avant-hier. Cela faisait très longtemps…

Il poussa un soupir et enfouit les doigts dans sa tignasse.

— Elle ne mange pas beaucoup, mais elle vient s'asseoir avec moi à table presque tous les soirs.

Rachel sourit à son dossier.

— C'est un progrès.

— Si on veut.

— Ces choses-là…

— … prennent du temps, je sais. Je compte aussi l'emmener camper, le week-end prochain.

A ces mots, Rachel releva vivement la tête. Leurs yeux se rencontrèrent enfin. Ils avaient souvent campé ensemble… Allait-elle enfin se dégeler, lui parler vraiment ?

— Excellente idée, dit-elle en souriant. Moi-même, je n'ai pas dormi à la belle étoile depuis une éternité !

Il lui rendit spontanément son sourire, tout à sa joie de se remémorer ces bons moments.

— Tu te souviens de Jesse ? demanda-t-il.

— Evidemment !

— Non, je veux dire, quand il était venu nous rejoindre malgré le veto de tes parents. Nous étions partis camper dans la carrière, rappelle-toi… Nous devions avoir combien, seize ans ? Le temps d'arriver, ton frère nous avait devancés !

— Je m'en souviens.

— Il avait même allumé un feu de camp… En fait, il avait dû filer en douce juste après avoir été interdit de sortie…

— Oui, c'était bien le style de Jesse.

La main de Rachel tremblait en reposant le stylo.

La couche de glace se crevassait. A ce moment, la courtoisie commandait de changer de sujet, mais Mac n'en avait aucune envie. Il était si bon de rappeler à Rachel tout ce qu'elle s'évertuait à oublier.

— Désolé, je n'aurais pas dû te parler de ton frère…

— Non, non, ça ne fait rien.

Le sourire factice qu'elle plaqua sur son visage mit le feu aux poudres.

— Comment va-t-il, au fait ? questionna-t-il, tout en sachant pertinemment qu'elle n'avait pas la réponse.

Le fait que la vie personnelle de Rachel soit aussi plombée que la sienne lui procurait un plaisir pervers. Elle aussi, avait des fantômes plein les armoires.

— Bien, dit-elle.

— Et… où est-il, en ce moment ?

Elle referma son dossier d'un geste sec.

— Où veux-tu en venir, Mac ? Il s'est engagé dans l'armée. Je n'en sais pas plus.

— Ton départ l'a anéanti.

Rachel blêmit. Elle eut beau battre des cils, ses yeux s'humectèrent de larmes…

Dans une ambiance électrique, leurs regards s'affrontèrent de nouveau. Un instant, il perçut la colère et la force de caractère qui étaient la marque de fabrique de la vraie Rachel. Mais très vite, elle cligna des paupières, les larmes disparurent et le masque glacé reprit sa place.

— Tu cherches seulement à m'humilier, Mac. Mais je ne me laisserai pas manipuler…

Ignorant la détresse de Rachel, il poussa son avantage, désespérant de retrouver l'éclair d'humanité entraperçu dans ses yeux.

— Un soir, il a rendu à ton père coup pour

coup. Il avait seize ans. J'ai dû intervenir pour le faire libérer…

Rachel se leva d'un bond, faisant crisser les pieds de sa chaise sur les lattes de bois. Mac l'imita.

— Tu aurais pu écrire ! Tu aurais pu essayer de…

— Tu crois que je ne l'ai pas fait ? cria-t-elle.

Comme elle s'éloignait, il leva la main dans un réflexe pour l'arrêter. Tous deux se figèrent…

« Touche-la ! lui souffla une petite voix. Et regarde ce qui arrivera… »

Il n'était pas si stupide. Sa main retomba. Rachel inspira vivement.

— Tu lui as écrit ? murmura-t-il.

Elle garda le silence, les yeux dans le vide.

— Rachel ?

— Chaque semaine. Chaque semaine jusqu'à l'an dernier, où il a fini par me répondre en me demandant d'arrêter.

Soudain, Mac eut la sensation de connaître cette femme debout en face de lui. Ces lèvres qui frémissaient, ce menton fièrement dressé, ces prunelles insondables… Cet acharnement à refouler les pleurs comme si sa vie en dépendait…

Sa grande amie était de retour. Dieu ! Comme elle lui avait manqué !

Il n'en souffla mot, mais cette pensée lui rafraîchit le cœur. Pour la première fois depuis que Rachel avait franchi le seuil de la villa, il se dit qu'ils avaient une chance de réussir dans cette folle entreprise.

— J'en suis navré. Jesse t'en a beaucoup voulu. Pendant des années.

— Vous êtes restés amis ? demanda Rachel d'une voix sourde.

— « Amis », c'est difficile à dire… Je lui ai évité la prison, je lui ai donné du boulot quand il en a eu besoin. Je l'ai aidé à enterrer ton père, il pleurait tellement… Je l'ai aussi accompagné à la gare quand il est parti au camp d'entraînement.

— Tant mieux, dit-elle en esquissant un sourire, un vrai, qui lui déchira le cœur. Il t'a toujours beaucoup aimé.

— Toi, il t'aimait tout court.

Elle eut un rire qui n'avait rien de gai.

— C'est vrai. Et regarde comme j'ai tout gâché !

Mac contourna la table pour la rejoindre, le plus lentement possible. Elle semblait une biche prête à détaler à la première alerte.

— Tu sais, dit-il, déjà quand on était ados, tes airs farouches ne trompaient personne, et surtout pas moi. Longtemps, j'ai cherché à comprendre pourquoi tu t'obstinais à jouer les dures à cuire, inflexibles, blasées…

Il l'écouta inspirer, expirer, il compta les battements du pouls sur sa gorge, et ceux de ses paupières.

— Alors ? chuchota-t-elle. Tu as compris ?

Chapitre 8

— Oui, je crois, répondit Mac en souriant.

— J'en suis ravie pour toi. Ce doit être agréable.

Ignorant le sarcasme, qu'il mit sur le compte de la panoplie de la reine de glace, Mac persista, résolu à lui rappeler leur amitié.

— C'est parce que ça faisait trop mal, à l'époque, et ça fait toujours mal aujourd'hui…

— Quoi donc ?

— D'espérer que les choses changeront. De croire qu'on a le pouvoir de les changer.

Rachel chancela, comme s'il l'avait giflée. Sans un mot, elle entreprit de rassembler ses papiers.

Il l'avait perdue. Il l'avait trop bousculée…

La guigne !

— Pour être franche, vois-tu… Je ne pense pas beaucoup au passé, affirma-t-elle avec une mauvaise foi évidente. Ou bien nous discutons de ce dossier, Mac, ou bien je m'en vais parce que nous n'avons rien d'autre à nous dire.

— Rachel, je te connais. Tu n'as pas besoin de faire semblant…

— Faire semblant de quoi ? répliqua-t-elle, glaciale. J'essaie seulement de vous aider, toi et ta fille, ce dont manifestement tu n'as pas besoin, puisque tu préfères parler de tout sauf de ça !

Elle braquait sur lui un regard dénué d'expression. Ce n'était plus la même femme. Il se sentit perdre pied.

— Tu sais que ce n'est pas vrai, murmura-t-il. Mais je ne peux tout de même pas faire comme si on ne se connaissait pas !

— Tu m'as affirmé que c'était dans tes cordes.

— J'avais tort…

— Je reviendrai la semaine prochaine, lança-t-elle par-dessus son épaule en traversant le salon. D'ici là, avec un peu de chance, tu auras peut-être renoncé à me persécuter, et nous pourrons enfin nous mettre au travail !

— Ne pars pas comme ça…

Ils n'avaient pas de temps à perdre avec ces petits jeux absurdes. Sa fille tombait en poussière sous ses yeux, et Rachel était censée l'aider, bon sang ! Si elle persistait à fuir à la moindre anicroche…

Il se précipita pour lui barrer le passage.

— Je me comporte bien avec toi, dit-elle, les dents serrées. J'apprécierais que tu fasses de même.

— Nous avons une histoire en commun, Rachel…

— Notre histoire n'a rien à voir avec ce qui nous occupe aujourd'hui. Je te répète que je suis ici pour vous aider, Amanda et toi…

— Pourquoi ?

La question la prit au dépourvu.

— Pourquoi quoi ?

— Pourquoi avoir pris en charge notre dossier, dans ces conditions ? Je ne comprends pas. Tu dois enfreindre le règlement…

— Justement, Mac. Si nous faisons abstraction du passé, je ne suis plus qu'une conseillère sociale qui assiste une famille en difficulté.

Comment pouvait-elle se retrancher aussi vite derrière son métier ? Une minute plus tôt, elle était au bord des larmes… et maintenant…

— Mais qu'est-ce qui t'est arrivé, bon Dieu, Rachel ? On dirait un bloc de glace. Tu n'as plus de cœur, tu…

— Ote-toi de mon chemin !

Il crevait d'envie de la toucher, pour voir si elle était aussi froide qu'elle en avait l'air. Aussi, négligeant son ordre, se pencha-t-il jusqu'à sentir son souffle et humer son parfum, qui semblait monter de l'échancrure du décolleté.

— Nous sommes notre passé, chuchota-t-il. Tous ces déboires que tu veux ignorer à toute force ont fait de nous ce que nous sommes. J'étais là, je sais ce que tu as vécu, ne l'oublie pas...

— J'ai tourné la page. Le passé est derrière moi.

— Allons ! se récria-t-il. Regarde la profession que tu t'es choisie...

— Qu'est-ce que tu insinues ?

— Tu ne vois donc pas que ton métier est une façon de corriger le passé ?

— Absolument pas ! C'est juste une manière de m'assurer qu'il ne recommencera jamais. En d'autres termes, de l'enterrer pour passer à autre chose !

— C'est pour cela que tu es ici ? Pour m'enterrer et passer à autre chose ?

— Mac, siffla-t-elle, venimeuse, je t'ai déjà enterré il y a treize ans, rappelle-toi !

Mac se sentit prendre feu. Le poison des paroles de Rachel s'immisça lentement dans ses veines. La douleur était si vive, qu'il lui vint une envie nerveuse de rire et de hurler... Comment était-ce possible qu'elle détienne encore le pouvoir de le briser ?

Il s'apprêtait à répliquer, mais elle l'arrêta...

— Arrête, chuchota-t-elle en levant une main tremblante. Arrête, s'il te plaît. On ne peut pas continuer comme ça, Mac. On se comporte comme des gamins et on se fait du mal.

Il se mordit la langue au sang et se tut. C'était si typique de Rachel, de le terrasser puis de mettre le holà juste après...

— Je veux me rendre utile, ajouta-t-elle d'une voix mal assurée. Sincèrement. Mais ce genre de querelle ne fait qu'aggraver la situation. Nous devons trouver une solution à ce... problème entre nous.

Problème ? Le mot le fit ciller.

— J'ai passé au moins quatre ans après ton départ à imaginer toutes les choses que je te dirais le jour où je t'aurais en face de moi, répliqua Mac.

Il constata non sans plaisir qu'elle attendait la suite avec anxiété.

— Je t'écoute...

— Inutile. Je t'ai oubliée depuis longtemps.

— Bien. C'est un bon point de départ.

— Mais cela ne change rien au fait que je n'ai pas confiance en toi.

Elle leva vers lui des yeux étonnés. Il avait choisi ses mots avec soin, avec l'intention de la détruire. Œil pour œil, dent pour dent.

— Tu te dérobes constamment, précisa-t-il. Tu as fui ta famille, tu m'as quitté. Et là, tu recommences. Qui me dit que tu ne nous laisseras pas tomber, ma fille et moi, au moment où nous aurons le plus besoin de toi ?

— Mac, on était des gosses ! Si tu ne peux pas pardonner…

— Je n'ai pas terminé ! coupa-t-il en haussant le ton. Tu avais raison, quand tu disais que tu connaissais ma fille : elle ressemble beaucoup à l'adolescente que tu étais.

— Et alors ?

— Et alors je ne voudrais pas qu'Amanda ressemble un jour à la femme que tu es devenue ! Cette seule idée me rend malade.

Rachel esquissa un geste de recul.

Quant à Mac, il s'aperçut que cette dernière charge ne lui procurait aucune satisfaction. Au contraire. Il n'y avait qu'un grand vide au fond de lui, constata-t-il avec dépit.

— Rachel…

— Je me déchargerai dès demain de ce dossier, annonça la jeune femme, devenue toute pâle. Un nouveau conseiller vous sera attribué d'ici à la fin du mois.

— Rachel !

Mais elle avait tourné les talons.

Il avait tout gâché. Encore une fois ! C'était une faute impardonnable.

— Rachel, reviens !

Elle l'ignora et pressa le pas vers sa voiture.

Mac ferma les yeux, jura un bon coup et frappa du poing contre le chambranle.

— Je suis un imbécile !

— Papa ?

Le cœur de Mac cessa de battre.

Il se retourna très lentement. Sa fille était assise à la vieille table de jardin, sous l'avant-toit.

— Amanda ! Qu'est-ce que tu fais là ? Je te croyais chez Grandma…

— Elle m'a déposée ici tout à l'heure.

« Oh, non, songea Mac. Est-ce qu'elle nous a entendus… Bien sûr, qu'elle a entendu… Elle était juste à côté… »

— Pourquoi est-ce que tu n'es pas venue me le dire ?

Elle haussa les épaules et shoota dans un caillou.

— Est-ce que… tu as entendu… ?

Amanda acquiesça en silence.

— Oh, ma puce, je suis tellement désolé… C'est juste que…

— Elle ne reviendra pas, alors ?

— Je ne pense pas. Mais ne t'inquiète pas, tout ira bien quand même… On nous enverra quelqu'un d'autre.

Il s'avança vers elle, mais Amanda, son bébé, son unique raison de vivre, se déroba.

— Pourquoi tu lui as dit ces horreurs ? demanda-t-elle d'une voix sourde et brûlante de colère. Qu'est-ce qui t'a pris d'être aussi méchant avec elle ?

— Chérie, tu ne comprends pas…

Amanda se mit à rire.

— C'est toi qui ne comprends pas, papa. Tu ne comprends jamais rien !

— Alors, aide-moi, supplia-t-il. Qu'est-ce qu'il y a ? C'est à cause de moi ? De maman ? Ou…

— Ramène Rachel.

Mac la regarda, interdit.

— Tu veux que Rachel revienne ? Mais tu étais si furieuse après votre entrevue ! Je ne pensais pas que… Tu veux vraiment qu'elle revienne ?

Amanda hocha la tête. Un faible signe, mais un vrai cri du cœur chez cette petite fille qui communiquait si peu.

— D'accord, souffla-t-il. D'accord, on va la ramener.

— Si tu y arrives, ironisa la petite avec un rire grinçant. Moi, à sa place, je ne voudrais même plus t'adresser la parole.

Sur ce, Amanda se leva, franchit le seuil devant Mac et grimpa l'escalier pour gagner sa chambre.

Mac en fut réduit à la regarder partir, sans trop

savoir si l'incident qui venait de se produire était une bonne chose ou la pire des catastrophes.

Pour le moment, cela ressemblait plutôt à une catastrophe.

Chapitre 9

Rachel s'escrima en vain sur la poignée rouillée de la porte de derrière. Son père l'avait une fois de plus enfermée dehors.

Elle les entendait se disputer de l'autre côté du battant.

— Tu vas réveiller Jesse ! criait sa maman d'une voix suraiguë.

— Je suis chez moi ! Je fais ce que je veux !

C'était sa réplique fétiche, celle qui n'admettait aucune discussion. Ici, on lui obéissait, sous peine de prendre une raclée.

Rachel secoua de toutes ses forces cette maudite porte en alu qui grinçait sur ses gonds en refusant de s'ouvrir. Il fallait qu'elle dise à sa mère de laisser tomber, de partir avant que les coups ne commencent à pleuvoir…

A l'intérieur, il y eut un grand bruit de verre brisé, suivi d'un terrible silence.

Est-ce qu'il était arrivé à ses fins, cette fois ?

Rachel eut une vision de sa mère se vidant de son sang sur le tapis pendant que son père cherchait du regard sa bière et sa télécommande…

Elle retint son souffle, une prière incohérente au bout des lèvres.

— Bon sang, Mick ! Tu as cassé la lampe !

Rachel se détendit.

Galvanisée par la peur et la colère, elle contourna le pavillon au pas de course et se glissa entre les tiges des rosiers bordant le mur de la chambre de Jesse. Tant pis pour les épines qui lui griffaient les bras et aussi les jambes, à travers le jean. Indifférente à la douleur, elle se hissa sur la pointe des pieds et sauta pour toquer à la fenêtre.

Le troisième essai fut le bon. La vitre coulissa. Son frère se pencha par-dessus l'appui.

— Salut ! dit-elle, reculant dans l'herbe colonisée par le chiendent pour ne pas se dévisser le cou.

— Qu'est-ce que tu fiches là en pleine nuit ? s'exclama Jesse en clignant des yeux.

Ses cheveux noirs se dressaient en crête de coq sur sa tête. D'en bas, Rachel distinguait le col rouge tout élimé de son pyjama favori à l'effigie de Superman.

— Il faut partir. Tu peux descendre, là ?

— Partir où ? Il fait tout noir dehors, Rach…

— Je sais, mon grand, mais c'est le moment ou jamais. Tu les entends crier ? Viens !

Il y eut un autre fracas assourdissant. Jesse se tordait les mains.

— J'ai peur… Reviens ! supplia-t-il en lui tendant ses petits bras. Tu n'as qu'à grimper…

— Hé, Rachel !

Une seconde paire de bras apparut alors à la fenêtre, et Mac émergea de l'ombre pour se poster à côté de Jesse. Ses cheveux blonds brillaient comme de l'or sous la lune.

— Monte, je vais t'aider.

Mac se pencha davantage, touchant presque ses cheveux, son visage…

Rachel se redressa en sursaut, balançant drap et couverture sur la lampe de chevet qui grinça comme une vieille porte en aluminium.

— Mac ! cria-t-elle, sondant l'obscurité. Jesse ! Où êtes-vous ?

Les ombres se mirent en branle. Un rai de lumière balaya le plafond… Un bruit de moteur s'éleva sur la route en bas de chez elle, puis s'estompa dans le lointain.

« Chez moi », songea Rachel, le cœur battant.

Elle se renversa sur l'oreiller, inspirant profondément à plusieurs reprises pour recouvrer ses facultés mentales.

Au-dehors, le silence était maintenant total.

L'espace intime de la chambre retrouva peu à peu ses contours familiers. La déco laissait à désirer, le confort aussi, aucun souvenir rassérénant de jours meilleurs ne lui venait entre ces quatre murs, mais à force, elle avait appris à faire sans.

Maudit soit Mac pour avoir fait resurgir ces horreurs… Voilà des années qu'elle n'avait plus fait un seul cauchemar ! Des années que Jesse était relégué dans l'armoire aux mauvais souvenirs, celle qui renfermait tout ce qui avait mal tourné dans sa vie et qu'elle ne pourrait jamais changer…

Endurer encore une fois des nuits hantées de mauvais rêves… Les remords, l'angoisse… Elle ne pourrait pas. Elle n'en aurait pas la force.

En ramenant sur elle le drap, elle renversa le verre vide qu'elle avait posé par terre près du lit avant de se coucher. Ce peu de vin absorbé hier soir n'était pas une brillante idée. Pas étonnant qu'elle fasse des cauchemars ensuite !

Le verre à la main, Rachel traversa le couloir sombre pour gagner la cuisine, que la lune décroissante baignait d'un halo laiteux. Elle renonça à allumer le plafonnier. Cette atmosphère blafarde lui convenait parfaitement.

Elle prit appui sur le comptoir, puisant un réconfort étrange dans le froid et la dureté du bois. Elle en avait *besoin*, comme elle avait eu besoin, hier soir, de ce verre de vin, à son retour de New

Springs. Si elle avait pu, elle aurait roulé encore, le plus loin possible de Mac, roulé jusqu'aux glaciers de l'Alaska…

On dirait un bloc de glace. Tu n'as plus de cœur. Si seulement elle avait pu s'insurger contre ce réquisitoire… Crier au mensonge !

Mais Mac avait vu juste.

La froideur lui servait de bouclier contre la souffrance.

Rachel ferma les yeux pour contenir ses larmes. Se serait-elle méprise depuis le début ? Dans sa volonté de sauver en elle ce qui pouvait encore être sauvé, avait-elle fait les mauvais choix ?

Et d'abord, si elle était restée à New Springs… Serait-elle plus heureuse aujourd'hui ? Passerait-elle la fête des Mères avec sa maman plutôt qu'avec sa chef de service ? Partagerait-elle la vie de Mac ?

Personne ne l'avait comprise et chérie mieux que lui. Aucun amant, aucun ami, pas même Olivia. C'en était presque risible. Si encore elle ne réagissait qu'au souvenir de leur intimité passée… Mais la seule vue de Mac aujourd'hui lui échauffait les sens, faisait frissonner tout son corps, l'emplissait d'un désir… un désir…

Rachel se versa un grand verre d'eau et le vida d'un trait avant de s'éponger le front. Elle mourait de soif, tout à coup. Elle se sentait desséchée de l'intérieur, pas moins. Dans un réflexe de survie, elle rouvrit le robinet et s'aspergea le visage d'eau froide.

« Qu'est-ce qui m'arrive ? » se demanda-t-elle paniquée en léchant ses lèvres.

Mac venait de disparaître de sa vie pour la seconde fois. Et elle éprouvait les mêmes sentiments de solitude et de rage impuissante que treize ans plus tôt. Une réaction d'autant plus ridicule que c'était elle qui avait filé, hier comme aujourd'hui.

— Qu'ai-je fait ? murmura-t-elle.

« Tu as abandonné ton frère, répondit sa conscience. Tu as fui ta famille. Tu as brisé le cœur de ton meilleur ami et tu as laissé tomber une gosse qui avait besoin de toi. Beau travail ! »

Brusquement, l'envie irrépressible la saisit de changer l'une de ces choses. Juste une. Histoire de prouver à Mac qu'il se trompait sur son compte, qu'elle n'était ni inhumaine ni insensible.

L'impulsion lui mordait le ventre si fort qu'il lui fut impossible de la chasser. Elle s'entendit gémir, déchirée par le gouffre séparant ses désirs de la réalité.

Faire quelque chose de bien, améliorer les choses, elle en avait rêvé toute sa vie. Mais l'alcoolisme de son père et la faiblesse de sa mère avaient été des montagnes trop hautes à escalader seule. En dépit de ses efforts, elle n'y était jamais parvenue. Elle n'avait jamais su plaire à son père, elle n'avait jamais su convaincre sa mère de le quitter, ni protéger son frère. Tout ce qu'elle avait été capable de faire, c'était de protéger de son mieux d'autres enfants…

Mac avait raison sur toute la ligne. Elle travaillait au service de la Protection de l'enfance parce qu'elle continuait à essayer de réconcilier sa famille ! Chaque enfant était son frère. Chaque enfant, c'était elle. Et chaque parent brutal ou négligent avait les traits de son père ou de sa mère.

Elle regagna sa chambre. Cette fois, elle alluma toutes les lampes. Elle ouvrit son armoire en clignant des yeux. Les boîtes à chaussures rangées sur l'étagère volèrent l'une après l'autre vers le tapis, les escarpins s'éparpillèrent autour d'elle…

Il était là, dans le coin le plus reculé. Son vieux sac à dos kaki.

Elle s'assit par terre pour mieux l'examiner. Ses doigts effleurèrent les coins cornés des patchs cousus avec amour pour camoufler les trous. Elle sourit à la vue des badges Nine Inch Nails qui décoraient la petite poche de devant — ce groupe ne l'avait jamais vraiment emballée, mais Mac l'adorait.

A l'intérieur, se trouvait le paquet de lettres estampillées « Retour à l'expéditeur ». Il y en avait des douzaines. Pourtant Jesse ne les avait pas toutes renvoyées. Elle n'avait récupéré qu'un tiers environ du courrier posté. Le reste, l'avait-il gardé, jeté, jamais reçu ?

La vue du nom de son frère, écrit de sa main, suffit à lui serrer la gorge.

Tout au fond du sac, elle dénicha une petite boîte de papeterie Hello Kitty, contenant feuilles, enveloppes, timbres et stylos, cadeau d'une grand-mère qu'elle voyait rarement. Pourquoi l'avait-elle gardée, pourquoi, surtout, s'en servait-elle encore pour stocker son papier à lettres ? Mystère… Enfin si, il y avait peut-être une raison. Elle détestait ce que cette boîte et ces lettres révélaient à son sujet. C'est pourquoi elle les gardait enfermées dans ce sac à dos d'enfant, le plus loin possible de sa vie d'aujourd'hui.

De la sorte, le passé et le présent ne se rencontraient jamais — à l'exception des nuits comme celle-ci, où la brèche ouverte dans son cœur par son enfance l'aspirait vers un trou noir.

Elle ouvrit la boîte. Prit un stylo, une feuille de papier ivoire. Puis, la boîte calée sur ses genoux en support, elle se mit à écrire.

« Jesse,

» Pardon. Je ne savais pas ce que je devais faire, il y a treize ans. Je l'ignore toujours, du reste. Je n'étais qu'une gamine et notre foyer était un tel désastre… J'ai pensé que tout s'arrangerait peut-être à la maison, si je n'y étais plus. Qu'il n'aurait plus de raison de piquer ses crises. Et puis, c'est vrai, j'étais sûre d'améliorer mon propre sort en partant. C'était très égoïste de ma part et, si je pouvais revenir en arrière, je ferais d'autres choix. Je comprends que tu m'en aies voulu. Moi aussi, à ta place, j'aurais été en colère. Voilà au moins un point commun entre nous : tu trouves comme moi que je fais une sœur lamentable.

» Aujourd'hui, sache que je tiens à racheter ma faute et à rattraper du mieux possible le temps perdu. Tu m'as demandé de ne plus t'écrire, mais tout ce qui me reste de toi, ce sont ces lettres que tu as peut-être lues, avec un peu de chance… Alors je continuerai à t'écrire, parce que renoncer est au-dessus de mes forces.

» Tu me manques, Jesse. Et même si tu ne me crois pas, je t'aime. »

Après avoir signé, Rachel glissa la feuille dans une enveloppe, ajouta deux timbres puisque les tarifs avaient augmenté depuis qu'elle avait acheté ce carnet-là, et adressa le tout à Jesse Filmore, Base militaire de San Diego.

Il avait probablement quitté cette base, depuis le temps. Pour ce qu'elle en savait, il pouvait très bien avoir été envoyé en Irak… Il pouvait être blessé, mort…

Elle enfouit le visage dans ses mains et tenta de refouler ces pensées négatives. En cas de malheur, sa mère ne l'aurait-elle pas prévenue ?

« Non, songea-t-elle en caressant distraitement

un badge Nine Inch Nails, maman n'a aucune raison de renouer le contact, puisque c'est moi qui l'ai rompu ! »

Dès demain matin, elle transmettrait le dossier Edwards à une collègue. Son instinct lui soufflait que c'était une erreur, mais elle n'avait pas le choix. Mac la haïssait, et à juste titre, par-dessus le marché.

Ceci, en revanche, songea la jeune femme en portant l'enveloppe à ses lèvres, allait dans le bon sens. Elle en avait l'absolue certitude.

Mac se réveilla en sursaut quand son livre lui tomba sur le nez.

Avec un grimace de douleur, il corna la page — la même que la veille — et posa le roman sur sa table de chevet avant d'éteindre la lumière.

L'éclat de la lune accrochée au ciel sans nuages altérait subtilement le décor familier de la chambre. L'armoire, le fauteuil supportant un tas d'habits, l'ancienne coiffeuse de Margaret… Tous ces meubles qu'il connaissait par cœur semblaient différents, comme neufs.

Mac leva ses mains dans la lumière. Cette blancheur irréelle masquait les entailles, les écorchures et toutes les marques laissées sur sa peau par le travail de la terre. Il avait les mains d'un jeune homme…

Lui revint alors en tête un souvenir qu'il s'était employé à rayer de sa mémoire des années durant.

Les ombres de la chambre à coucher étaient devenues les roches de la carrière. Les paumes intactes qu'il agitait devant lui n'étaient plus un mirage, mais celles d'un jeune bachelier de dix-sept ans…

Mac ferma les yeux. Il essaya de se concentrer sur ses comptes, sur les insectes qui colonisaient le bas du verger, sur les citrons à cueillir — rien n'y fit.

Seul dans la quiétude de sa chambre, il assistait, impuissant, au retour en force d'images qu'il avait crues effacées à jamais par la colère et l'humiliation.

La peau nacrée de Rachel sous la lune, la soie douce et tiède de ses seins, sa taille fine… Des lèvres humides murmurant « Mac » contre sa joue… L'étroit fourreau tout chaud forcé avec d'infinies précautions, une plainte de douleur et de plaisir mêlés et, à la fin, les traces de sang.

Ils étaient vierges tous les deux — lui à peine moins qu'elle sans doute, du fait de l'expérience partagée avec Margaret. Mais cette nuit-là avait marqué l'apogée des sentiments qu'il éprouvait pour

Rachel. En la caressant, en l'embrassant partout, il avait acquis la conviction que cette fille était faite pour lui.

Aujourd'hui, son adolescence était loin, il était veuf, père…, pourtant son ventre palpitait encore à cette simple évocation, et c'était bien la même flamme qui incendiait ses veines.

Il essaya d'en rire, mais ce fut peine perdue. Il n'en avait même pas honte. Ce souvenir s'accrochait à lui.

Plus tard, cette nuit-là, il avait raccompagné Rachel chez elle. Il l'avait embrassée, s'imprégnant des effluves salés de son corps, et l'avait crue sur parole quand elle lui avait donné rendez-vous pour le lendemain matin. Puis il était rentré chez lui en flottant sur un petit nuage de béatitude incrédule, ravi et comblé d'avoir fait ce qui était juste après avoir dissimulé pendant des années à Rachel les sentiments qu'elle lui inspirait. Et, ô miracle, elle l'aimait aussi !

Il avait la sensation que sa vie venait juste de commencer.

Les événements s'étaient ensuite succédé comme dans un film auquel il aurait assisté en spectateur.

Car il ne se reconnaissait pas dans le gamin qui était allé toquer à la porte de Rachel le lendemain avec un anneau d'or dans la poche. Il ne se reconnaissait pas davantage dans celui qui avait pris la route et bravé la pluie battante à San Luis Obispo, deux jours plus tard, pour quémander une explication et supplier Rachel de revenir.

En revanche, il s'identifiait tout à fait à l'homme blessé, écœuré, furieux qui s'était ensuite abruti d'alcool deux semaines d'affilée.

Mac le connaissait bien, et pour cause, cet homme qui avait couché avec Margaret un soir de cette triste période et l'avait mise enceinte, puis qui s'était démené pour que sa nouvelle vie tienne la route. Parce qu'il était resté le même jusqu'à aujourd'hui.

Mais demain, tout allait changer.

Chapitre 10

Rachel avait pris rendez-vous avec Olivia dans la matinée, juste après la réunion du personnel. Il lui restait peu de temps pour remplir les formulaires tant prisés par sa hiérarchie, mais elle peinait à se concentrer, faute d'avoir dominé les émotions confuses qui l'agitaient depuis la nuit dernière.

Le stylo à la main, elle fixa le mur nu en face d'elle et déplora l'absence de fenêtre à cet endroit. Peut-être une ouverture vers l'extérieur l'aurait-elle aidée à trouver les mots justes pour décrire le conflit d'intérêts auquel elle était confrontée. « Nous avons été amants et il me déteste » semblait une formule pour le moins brutale et malvenue.

Cette idée ne lui arracha pas le plus petit sourire, tant le manque de sommeil lui pesait. « Mac Edwards et moi-même avons vécu une histoire que nous avions oubliée, écrivit-elle pour finir, de guerre lasse. Nos désaccords sur ce point m'empêchent de poursuivre mon travail sur ce dossier. »

L'essentiel serait de ne pas craquer devant Olivia qui voudrait à coup sûr tout connaître de l'histoire en question, et de garder pour elle les détails les plus dommageables pour sa carrière.

Elle avait agi stupidement. Elle s'en rendait compte maintenant, à la lumière froide et claire du jour, tandis que les paroles haineuses de Mac résonnaient jusque dans ses entrailles. Depuis le début, cette affaire était calamiteuse. Le malheureux avait déjà suffisamment de problèmes sur les bras avant qu'elle ne fasse irruption dans sa vie pour l'*aider* !

Se démettre était la solution la plus sage, sans contestation possible.

Une fois sa signature apposée au bas de la dernière page, Rachel ajouta son rapport au dossier d'Amanda. Ainsi, son successeur disposerait de l'ensemble des informations, y compris son désaccord formel avec l'évaluation négative de Frank.

C'était ce qu'elle pouvait offrir de mieux à Amanda — en espérant que cela suffirait.

Ayant vérifié l'heure à sa montre, elle décida de s'arrêter au distributeur automatique afin de se munir d'une sucrerie propre à amadouer Olivia. Elle avait réclamé si ardemment à s'occuper de ce dossier, le tout premier jour, que les questions allaient pleuvoir. Un pot-de-vin s'imposait.

Elle décrocha le dernier cookie aux raisins de l'appareil et se débrouilla pour tenir d'une seule main le biscuit, deux cafés et le dossier au moment de frapper à la porte d'Olivia.

— Entrez !

Rachel poussa le battant de la hanche pour éviter de renverser du café sur sa tunique vert amande neuve. Ce serait bien sa veine, un jour comme celui-ci.

— Salut, Olivia. Je t'ai apporté un…

— Rachel ! Regarde qui est ici !

Le ton sarcastique retint l'attention de Rachel, qui se retourna… et aperçut Mac assis face à Olivia.

Il avait l'air si mal à l'aise dans cet espace confiné, et si séduisant en même temps, qu'elle en eut des palpitations.

« Le père du dossier fléché ressemble à Brad Pitt et tu m'avais caché ça ? » disait le sourcil levé de sa chef de service.

Rachel sentit ses joues s'empourprer.

— Bonjour, Rachel.

Le timbre grave de Mac lui caressa la peau comme du velours.

— J'étais en train de vanter la qualité de votre travail auprès de votre responsable.

Il se leva, ou plutôt il se déplia hors du fauteuil avec une grâce souple assortie d'un sourire charmeur de son cru.

C'était l'exact opposé de l'homme au regard acéré qui l'avait étrillée pas plus tard que la veille.

Etait-elle victime d'hallucinations ? Elle plissa les yeux, méfiante.

— Votre responsable ici présente…

— Appelez-moi Olivia, je vous en prie, roucoula l'intéressée.

Mac lui décocha un sourire et, mariée ou pas, Olivia fondit littéralement.

— *Olivia* me disait à l'instant que vous aviez un don particulier avec les adolescentes et je n'ai pu qu'approuver, étant donné ce que ma fille pense de vous.

Rachel n'y tint plus.

— Puis-je vous dire un mot en privé ? articula-t-elle à l'adresse de Mac.

— Bien sûr.

Il sortit du bureau avant elle et l'attendit dans le couloir.

— Laisse-moi donc ces sympathiques bakchichs, murmura Olivia en fixant le cookie et les cafés que Rachel tenait toujours à la main. Dis-moi, tu ne serais pas en train de commettre une faute professionnelle à mon insu, par hasard ?

— Quoi ?

— Ce type est à tomber, et tu rougis comme une écolière.

— Tu te fais des films parce que tu adores les grands blonds !

— Non, parce que j'ai un sixième sens, répliqua Olivia en mordillant le cookie.

— Tu as surtout une imagination débordante.

Rachel laissa sur le bureau son propre gobelet de café, mais garda le dossier d'Amanda sous le bras pour aller affronter cette nouvelle incarnation de Mac.

— Rachel…

Il tendit la main vers son coude au moment où elle le dépassait.

— Suis-moi, siffla-t-elle en se dégageant. A moins que tu ne souhaites provoquer une scène devant le bureau de ma chef ?

— Je ne suis pas là pour faire une scène, protesta-t-il d'une voix contrite. Je suis juste venu…

— Dehors, trancha Rachel.

Bien que mal remise de sa stupeur, elle n'avait que trop conscience de la minceur des parois en contreplaqué, et de la propension aux ragots dans le service. Aussi se dirigea-t-elle d'un bon pas vers la sortie, en proie à une colère sourde.

Il était déloyal de la part de Mac de débarquer ainsi à l'improviste sur son lieu de travail. De se comporter comme s'il avait déjà oublié son discours virulent d'hier et son obstination à remettre le passé sur le tapis…

Elle poussa la porte d'un geste rageur et sortit dans la chaleur sèche du grand jour. Martelant rageusement le bitume de ses hauts talons, elle précéda Mac dans le petit parc arboré où tout ce cauchemar avait commencé, avec une pochette marquée d'une flèche rouge.

— Rachel...

— Qu'est-ce que tu fiches ici ? demanda-t-elle sèchement.

— Je suis venu te demander de revenir.

Rachel en resta coite.

— Pourquoi ? Tu n'as plus confiance en moi, rappelle-toi ! Je te rends malade !

— Je n'ai pas dit ça ! protesta-t-il en pâlissant.

— Oh, c'est vrai. Au temps pour moi. Tu as dit que l'*idée* que ta fille puisse me ressembler un jour te rendait malade !

Mac sourit et plongea les mains dans les poches de son jean.

— Ça, dit-il, c'est la Rachel que j'ai connue.

— Et ça te fait rire ?

— Pas au point de me rouler par terre, répondit Mac en haussant les épaules, mais c'est toujours mieux que de me mettre à crier.

La colère qui habitait Rachel s'effondra d'un coup. Elle revint sur terre, lentement mais sûrement.

— Je t'écoute, soupira-t-elle, soudain très lasse, le dossier serré sur sa poitrine comme un bouclier.

— Amanda aimerait te revoir. Elle m'a demandé de venir ici m'excuser.

— Vraiment ?

Rachel ne put s'empêcher d'éprouver une certaine fierté. Son intuition ne l'avait pas trompée, un lien s'était créé entre elles.

Pour autant, pas question de ramper aux pieds de Mac !

— C'est la première fois depuis des mois qu'elle me demande autre chose que de la laisser seule…

— Et donc, tu ravales ton amour-propre ?

— Si elle me demandait de me couper le bras droit, je le ferais.

Rachel se laissa tomber sur le banc le plus proche, sans se soucier des échardes qui risquaient de filer ses bas.

— Tu m'en vois sincèrement touchée, mais je ne pense pas que cela puisse marcher.

Mac s'assit à son tour. La chaleur masculine qui émanait de lui donna le vertige à Rachel, qui s'empressa de croiser les jambes pour prendre ses distances.

— Je retire mes propos d'hier, dit-il en se tournant vers elle. Pardon pour la façon dont je t'ai traitée. La coupe était déjà pleine, ton retour inopiné dans ma vie a été la goutte de trop.

Rachel sourit mais, en réalité, elle avait surtout envie de pleurer. Elle aussi touchait le fond. Son détachement professionnel, son armure d'impassibilité, tout cela gisait à ses pieds en mille morceaux…

Il ne lui restait que la vérité.

— A aucun moment je n'ai pensé aux conséquences que mon retour pourrait avoir sur ta vie, avoua-t-elle, croisant brièvement son regard. J'ai sincèrement cru que j'allais arriver telle Mary Poppins et résoudre tous les problèmes… C'est moi qui te demande pardon.

— Bien ! dit Mac en souriant. Nous progressons. Vas-tu reprendre le dossier ?

— Non. Tu avais raison. Ce cas est un exemple parfait de conflit d'intérêts. Je risquerais mon boulot là-dessus.

— Mais Amanda…

— Ta fille ne te sera pas retirée. Sur ce point, tu n'as plus d'inquiétude à avoir.

Il renversa la tête, enfouit les mains dans ses mèches et partit d'un grand rire.

— Seigneur ! Quel soulagement !

Rachel se leva, impatiente de mettre un terme à cette scène d'adieu qui lui broyait le cœur. « Combien de fois devrai-je quitter cet homme ? » se demanda-t-elle fugitivement.

— Donc, vous n'avez plus besoin de moi. Je te souhaite de…

Il était déjà debout. Et il lui saisit la main. Ce contact avec sa peau — chair, muscles, os — lui coupa net la respiration. Un frisson brûlant la traversa.

— Tu te trompes, lui dit-il, les yeux dans les yeux, Amanda a encore besoin de toi. Quelque chose la ronge de l'intérieur et tu es la seule personne qui ait réussi à la toucher depuis des mois...

— Mac...

Elle libéra son bras de manière à retrouver des idées à peu près claires. Seulement, il ajouta :

— Moi aussi j'ai besoin de toi, Rachel.

A ces mots, Rachel ferma les yeux pour se prémunir contre le spectacle qui s'offrait à elle. Le soleil scintillant dans les cheveux de Mac. Ce regard de braise, dans lequel il avait mis tout son cœur et son orgueil...

Elle se sentit faiblir. Le moment et le lieu ne l'aidaient pas à tenir tête à cet homme. Elle se sentait follement téméraire, tout à coup, prête à l'aider, prête, surtout, à tendre la main vers ses cheveux, sa joue, son cou... à l'attirer contre elle pour se blottir dans ses bras.

Car c'était lui qu'elle voulait, et personne d'autre.

Mac se mit à rire, mais sa souffrance était manifeste.

— Je n'aurais jamais cru devoir un jour te supplier une nouvelle fois... Rachel, je ferai tout ce que tu voudras, je me plierai à tes règles. Ma fille te réclame et j'ai la sensation que si je repars sans toi, tout sera perdu. J'ai très peur, avoua-t-il en baissant la tête. J'ai trahi la confiance de toutes les femmes que j'ai aimées. Je n'ai pas réussi à aider ma mère, je n'ai pas réussi à t'aider…

L'aider ? Ces mots montèrent à la tête de Rachel comme un vertige tandis que Mac poursuivait :

— Je dois maintenant aider ma fille et…

— D'accord.

Le mot s'était échappé de ses lèvres.

— D'accord, répéta-t-elle.

Le visage de Mac s'éclaira. Comme il esquissait un pas vers elle, Rachel leva la main.

— D'accord, j'aiderai ta fille.

— Mais… ?

« Mais tu ne me toucheras pas, aurait voulu répondre Rachel. Tu ne souriras pas. Tu ne me regarderas pas comme si tu connaissais tous mes secrets… »

— Mais je vais au-devant de gros ennuis si Olivia découvre notre passé. Et elle a déjà des soupçons.

— Ah, soupira Mac. J'ai cru que si je pouvais t'amener à parler de… de nous…

Il se passa la main sur la figure.

— Je pensais que ça pourrait être utile. J'avais simplement envie de t'atteindre. Tu semblais si indifférente ! C'était insupportable.

Elle n'était pas indifférente. Elle se protégeait, voilà tout.

— Je comprends, dit-elle. C'était stupide de ma part de me présenter chez toi avec l'idée de traiter ce dossier comme n'importe quel autre…

— Il y a encore un « mais », n'est-ce pas ?

— Mais je suis ta conseillère et c'est tout, Mac. Pour le bien de ta famille, et accessoirement de mon travail, je ne suis que cela pour toi. Je n'ai pas de temps à gaspiller en me disputant avec toi ou en ressassant le passé.

Elle prit une brève inspiration et ajouta d'une traite :

— Je te demande pardon pour ce que je t'ai fait il y a treize ans. Entre mes sentiments pour toi et ma situation familiale, je ne savais pas quoi faire. Alors j'ai pris la fuite. Je t'ai menti ce soir-là parce que je…

Elle buta sur les mots. C'était tellement difficile !

— Parce que j'avais besoin de toi à ce moment précis. En revanche, je t'aimais sincèrement ; sur ce point, je ne mentais pas.

Ce n'était pas tout.

Restait à lui avouer ce qu'elle avait ressenti le fameux soir où il était venu la voir à San Luis Obispo. Ce soir-là, son cœur fondait à mesure qu'il la suppliait de revenir. Elle avait failli céder, envoyer promener l'université et ses perspectives d'avenir encore floues, pour retourner auprès de Mac…

Seulement, le souvenir de sa mère pleurant à chaque faux départ de son père l'en avait empêchée. « Ne me quitte pas ! Je t'aime ! »... Voilà à quoi ressemblait l'amour : des coups, de l'alcool, les larmes d'une femme prosternée aux pieds d'un homme.

Toutefois, elle n'était pas près de confier son point de vue à Mac.

Il s'apprêtait à parler, mais elle le devança — la situation devait être clarifiée au plus vite afin qu'ils se concentrent sur l'essentiel : Amanda.

— Tu conviendras cependant avec moi que tout s'est terminé pour le mieux...

— Le *mieux*, tu dis ? Pour moi, nous avons tout gâché.

— Tu as une fille merveilleuse qui t'adore. Quand tu seras sorti de cette mauvaise passe, tu prendras conscience de la chance que tu as. J'en suis convaincue.

Mac la dévisagea.

— Et toi ? murmura-t-il enfin. Que t'est-il arrivé de bien ?

Rachel se mordit la lèvre.

— J'ai survécu à la violence de mon père. J'ai échappé à cette maison de fous et j'ai construit ma propre vie. J'ai des amis, un travail que j'adore. Cela suffit à mon bonheur, affirma-t-elle tout en se demandant pourquoi cette phrase sonnait si faux.

Mac opina sans un sourire.

— Alors, dit-il, je suppose que tout est pour le mieux.

— Le mieux serait surtout de passer à deux entretiens par semaine, dit alors Rachel, désireuse d'en revenir au présent et aux choses concrètes.

Elle passa mentalement en revue son programme de travail.

— Je peux vous consacrer le mardi et le vendredi, par exemple, vers 17 h 30.

— Entendu. Amanda sera ravie.

— Je l'espère, dit Rachel en souriant. Nous finirons par voir la lumière au bout du tunnel.

— Merci, Rachel.

Le souffle court, elle glissa sa main dans celle que Mac lui tendait.

— A propos de ce que je t'ai dit…, ajouta-t-il. Sur ta manie de fuir…

— Tu n'avais pas tort, déclara la jeune femme. Mais je n'abandonne jamais les gamins dont je m'occupe. C'est un principe, qui inclut ta fille. Tu vas devoir me faire confiance…

Il garda le silence.

— Est-ce que tu y arriveras ? s'enquit Rachel, le cœur battant.

— J'y arriverai, répondit enfin Mac.

Puis il tourna les talons.

Trois heures plus tard, alors qu'elle tapait son rapport d'activité, Rachel sursauta quand une chemise en papier kraft atterrit sur son clavier.

— Cadeau ! claironna Olivia.

— Le courrier interne est en panne ? marmonna Rachel en effaçant une ligne entière de « j » dans son texte.

— C'est le dossier de Christie Alvarez. Lois le gère et continuera à le gérer, mais elle a dit que tu pouvais jeter un coup d'œil aux annotations de Frank.

Rachel s'écarta de son ordinateur. Sa chef de service la dévorait des yeux, comme si elle avait sous les yeux un cookie aux raisins géant.

— Merci, dit-elle prudemment.

— De rien, Rachel. Pas de problème…

Olivia s'assit en face d'elle, croisa les jambes, tapota l'ourlet de sa jupe jaune citron et darda sur sa collaboratrice un regard assassin.

— N'est-ce pas ? ajouta-t-elle.

— Tu veux parler de Mac Edwards ?

— Eh bien vois-tu, c'est amusant, il y a *plusieurs* choses dont j'aimerais parler avec toi. Mac Edwards, oui, bien sûr… Ce grand blond trop séduisant qui, merveille des merveilles, parvient à faire rougir l'imperturbable Rachel Filmore… Mais il y a aussi ce rendez-vous dans mon bureau qu'il a interrompu. Ainsi que les mystérieux appels que je reçois d'un avocat de New Springs. Un certain Billy Martinez, il me semble.

Rachel contint un soupir.

— Mais je me demande surtout pourquoi mon amie, qui me sermonnait l'autre semaine sur le détachement nécessaire dans notre profession, a l'air d'avoir pleuré toutes les larmes de son corps la nuit dernière.

Sur le coup, Rachel se reprocha de n'avoir pas accordé plus d'attention ce matin à son maquillage.

— Olivia…

— Est-ce que tu maîtrises pleinement ce dossier ?

Rachel redressa les épaules et adopta le ton le plus ferme possible.

— Absolument !

— Ah ? Parce que, de mon point de vue, la situation se dégrade à vitesse grand V. Ça sent les problèmes personnels à plein nez.

Les sourcils haussés d'Olivia réclamaient de plus amples explications. Et sur-le-champ. Rachel se dépêcha d'assembler un faisceau de demi-vérités.

— C'est que Mac Edwards était ami avec mon frère et…

— Tu as un frère ? s'exclama Olivia.

— Nous avons… perdu le contact.

— Oh, Rachel, je l'ignorais ! Je suis dés…

— Normal, je ne t'en ai jamais parlé.

— Veux-tu le faire maintenant ?

— De toute évidence, non, puisque je n'avais jamais abordé le sujet, rétorqua Rachel, que le manque de sommeil rendait agressive.

— Du calme ! s'écria Olivia. Est-ce que cela pose un problème, cette amitié entre eux ?

— Plus maintenant. J'ai fait des efforts pour améliorer mes rapports avec mon frère, et Mac est d'accord pour que nous laissions derrière nous cette relation du passé.

— Où est ton frère aujourd'hui ?

Rachel soupira.

— Je ne sais pas au juste. Mais crois-moi, rien de tout cela ne peut interférer avec mon enquête.

— Et l'avocat de New Springs ?

— Mac est quelqu'un de très apprécié dans sa ville, or Frank a multiplié les maladresses. M. Martinez est un de ses amis, il se renseigne, c'est tout. Nous avons rendez-vous lui et moi dans quelques jours.

Olivia hocha la tête.

— Et ta mère ?

— Ma mère ? Elle n'a rien à voir là-dedans !

— Je te pose la question en amie, Rachel.

Celle-ci avala sa salive.

— Je n'ai aucune intention de la revoir.

— D'accord, dit Olivia en se levant. Je n'insiste jamais quand je me heurte à un mur.

Elle pointa sur Rachel un index menaçant.

— Ne fiche pas tout en l'air !

En la regardant sortir, Rachel eut la sensation très nette que sa chef de service et amie était lancée à ses trousses.

Chapitre 11

Il avait suffi d'une note griffonnée dans le rapport de Lois sur Christie — « possibles violences sexuelles » — pour que Rachel se lance une nouvelle fois sur les routes de montagne jusqu'à New Springs, et plus précisément la résidence Oakview.

D'après ses informations, Christie vivait avec sa mère célibataire, Jo Alvarez, laquelle cumulait deux jobs pour s'offrir un logement plus décent que ceux du centre, où avait grandi Rachel. Néanmoins, les couloirs trop sombres de l'immeuble dégageaient des relents d'urine et de marijuana, cette dernière odeur émanant de l'appartement 4B.

Frank avait indiqué que Christie affichait une maturité physique étonnante pour son âge ; quant à Jo Alvarez, elle ne s'était guère montrée coopérative, ce qui pouvait expliquer l'absence de flèche rouge sur le dossier de sa fille.

De son côté, Lois avait consigné par écrit ses inquiétudes au sujet des écarts de conduite de

Christie et de ses résultats scolaires en chute libre depuis quatre mois exactement, alors que l'adolescente était jusque-là considérée comme une élève sinon brillante, du moins sympathique et de bonne volonté. Que s'était-il donc passé pour que la situation dégénère brutalement ?

Il était capital de déterminer l'événement qui avait provoqué le déclic. Car lui seul pouvait donner un sens à l'incendie du ranch Moerte et, partant, aux ennuis actuels d'Amanda. Rachel en était convaincue.

Elle n'était pas censée interroger les Alvarez en personne. Mais Lois était injoignable, et le temps pressait…

Un rap assourdissant étouffa les premiers coups frappés au 4B. Rachel finit par marteler la porte à coups de poing.

— C'est quoi, ce raffut ?

Le battant s'ouvrit enfin sur une fille outrageusement maquillée, moulée dans un chemisier trop petit de trois tailles au moins.

— Christie Alvarez ? demanda Rachel.

Par-dessus son épaule, elle aperçut deux adolescents affalés dans un canapé de cuir noir défoncé, jean *baggy* et cigarette à la main, dodelinant de la casquette pour marquer le rythme.

— Possible, répliqua la fille déhanchée avec une moue méprisante.

« Toi, ma petite, tu fonces droit dans le mur », songea Rachel.

— Je m'appelle Rachel Filmore…

— On m'a parlé de vous.

Rachel dissimula tant bien que mal sa surprise.

— C'est vous qui parlez avec Amanda, non ?

— Oui. J'aimerais discuter avec toi aussi.

— Hé, Christie ! Ferme cette foutue porte et reviens ici ! cria un des garçons.

L'autre lui fila un coup de coude et lança :

— J'ai froid…

— Moi aussi ! rigola le premier en se massant l'entrejambe.

« Maturité étonnante », avait noté Frank ? Au bord de la nausée, Rachel refoula une brusque envie d'attraper Christie par le bras et de décamper d'ici avec elle au plus vite.

— Ma mère m'interdit de parler aux inconnus quand elle est pas là, dit Christie d'un air las.

— Et qu'est-ce qu'elle pense de tes deux copains, là-bas ? demanda doucement Rachel, dans l'espoir qu'elle saisirait au vol cette planche de salut qui lui était offerte.

— Elle s'en fiche, répondit l'autre en haussant les épaules.

Rachel se reconnut instantanément dans cette fausse insouciance. Elle aussi, ado, faisait semblant de se désintéresser de tout, ce qui ne l'empêchait pas de prier pour que sa mère l'embarque avec Jesse le plus loin possible de son père…

— Je parie que tu te trompes, dit-elle sans trop de conviction.

— Ah ouais ? Et moi je parie que vous savez rien de nous !

— Je ne suis pas là pour vous causer des ennuis, Christie. J'ai juste quelques questions à te poser. Demande à Amanda, elle te dira que…

— Oh, elle m'a déjà dit plein de trucs. Que vous et son père vous étiez tout le temps fourrés ensemble au lycée, et que vous êtes revenue le récupérer…

Ahurie, Rachel recula d'un pas.

— Elle a tort. Je suis venue faire mon travail et l'aider.

— Ben voyons. Vous dites tous la même chose !

Christie jeta un regard derrière elle. Les garçons la mataient du coin de l'œil comme deux loups affamés.

— Si tu venais avec moi, là, tout de suite, pour qu'on aille s'expliquer ensemble avec Amanda ?

C'était une tentative de sauvetage bien dérisoire, Rachel en avait conscience, mais elle se devait de tenter le coup.

— Je suis occupée, répliqua Christie avec hauteur.

Son air de défi laissait entendre qu'elle savait

exactement ce qui était en train de se passer, et que cela ne lui faisait nu chaud ni froid.

— Vous êtes ma nouvelle conseillère ou quoi ?

— Non, je…

— Alors allez vous faire voir avec vos questions.

Elle lui claqua la porte au nez. Le volume sonore de la hi-fi enfla d'un ton.

« J'aurais dû devenir chef de cuisine ou jardinier », songea Rachel, défaite. N'importe quel job en fait, où l'échec ne prenait pas la forme d'une adolescente de quatorze ans bradant son corps pour se sentir désirée un moment.

Elle battit en retraite vers la chaleur du grand jour et cligna des yeux, aveuglée par le soleil après l'obscurité du hall. Aspirant l'air frais à pleins poumons, elle se força à réfléchir à ce qu'elle pouvait faire maintenant pour aider Amanda et peut-être aussi, dans la foulée, son amie Christie.

Il ne servait à rien de s'appesantir sur ses déboires. Aller de l'avant, agir, c'était la seule manière de faire bouger les choses.

Puisque la piste Christie se révélait une impasse, autant retourner directement sur les lieux du crime. Ses coups de fil étant demeurés sans réponse, Rachel opta pour une visite impromptue.

***

La propriété de Gatan Moerte était située de l'autre côté de la vallée, à l'opposé de la villa de Mac. Depuis la route, Rachel pouvait apercevoir les baies vitrées du salon réfléchissant les rayons du soleil à travers les frondaisons.

Elle se demanda ce que faisait Mac à cette heure-ci. Avait-il terminé son travail dans le verger ? Peut-être pas. Le trajet jusqu'à Santa Barbara, ce matin, avait dû le retarder dans son programme…

A la faveur d'une nouvelle trouée dans les feuillages, elle scruta le flanc de la colline, en quête du vieux pick-up bleu.

Est-ce qu'il pensait à elle ?

Rachel se hâta de chasser de son esprit cette idée saugrenue. Elle avait mieux à faire aujourd'hui que de s'interroger sur Mac.

D'après son dossier, Christie avait travaillé un peu plus d'une année dans les écuries Moerte, pour cinq dollars de l'heure. Au bout de six mois, elle avait commencé à prendre des leçons d'équitation gratuites tous les samedis. Amanda, pour sa part, ne se rendait là-bas que pour y retrouver son amie.

Il était plus qu'évident que Christie avait déjà une vie sexuelle, en dépit de son jeune âge. Cette précocité avait parfois une explication naturelle, chez les filles très tôt pubères, et par conséquent plus conscientes que d'autres du regard des garçons.

Mais d'autres filles couchaient pour des raisons très différentes : quelqu'un les y « aidait »...

Alors, quelqu'un avait-il poussé Christie à grandir ?

Une fois le portail du ranch franchi, Rachel s'engagea dans une large allée de terre battue. Bâtiments, champs et barrières offraient de jolis camaïeux de vert et blanc. Elle dénombra quatre chevaux qui l'observaient depuis leur enclos en mâchonnant de l'herbe. La brise, étonnamment, charriait le parfum des rosiers grimpants qui couvraient le coin de l'écurie la plus proche.

Le cadre était splendide. Un paradis de carte postale...

Rachel sentit ses cheveux se dresser sur sa nuque. Paradoxalement, une telle perfection incitait à la méfiance. Souvent, elle servait de trompe-l'œil pour dissimuler une réalité moins reluisante.

— Puis-je vous aider ?

Une femme d'âge moyen, en jean et débardeur d'une couleur indéterminée, descendit de la vaste véranda entourant la somptueuse bâtisse à deux étages chaulée de blanc et s'approcha de la voiture, une main en visière au-dessus des yeux.

— Bonjour, dit Rachel en souriant.

Elle cala ses lunettes de soleil dans ses cheveux. Un contact direct, les yeux dans les yeux, se révélait souvent utile pour se concilier un interlocuteur.

— Rachel Filmore, service de la Protection de l'enfance de Santa Barbara.

— Enchantée. Je suis Agatha Hintches, la gouvernante.

Elles échangèrent une poignée de main. Cheveux roux virant au beige sur les tempes, mais le regard vif, Agatha devait avoir la cinquantaine, calcula rapidement Rachel.

— M. Moerte est-il disponible ? J'aimerais m'entretenir quelques instants avec lui.

Agatha secoua la tête.

— Je suis désolée, M. Moerte se repose. Il n'est pas encore tout à fait remis de sa dernière attaque cardiaque.

— Madame Hintches, pardonnez ma franchise…

— Appelez-moi Agatha. C'est plus simple !

— Merci, Agatha. Voyez-vous, il se trouve que j'ai passé mon enfance dans le coin et…

— Je sais.

Rachel se figea et plissa les yeux malgré elle.

— J'ai travaillé avec votre maman au café pendant plusieurs années, expliqua la gouvernante.

— Vraiment ? balbutia Rachel.

Elle s'aperçut alors qu'elle n'avait jamais pensé à sa mère comme à une personne ayant une vie sociale, des amis, des collègues de travail.

— Elle me parlait souvent de vous et de votre frère, Jeffery…

— Jesse, corrigea machinalement Rachel.

— Bien sûr ! Comment ai-je pu oublier ? Ce garçon…

Agatha secoua la tête sans se départir de son sourire.

— J'étais certaine qu'il finirait par épuiser votre mère, à voir ce qu'il combinait avec Mitch Adams avant qu'ils ne partent tous les deux à l'armée… En tout cas, elle était très fière de vous et de votre parcours à l'université.

Rachel opina avec lenteur, la gorge serrée.

— Elle disait toujours que vous étiez la plus douée de la famille. J'ai beaucoup regretté de vous avoir manquée, à chacune de vos visites… Enfin ! soupira Agatha en agitant les mains comme pour dissiper les souvenirs. A quel sujet vouliez-vous voir M. Moerte ?

— Je… Je souhaitais l'interroger sur l'incendie qui a eu lieu dans ce ranch il y a quelques mois, expliqua difficilement Rachel.

A ces mots, le beau sourire de son interlocutrice disparut.

— J'ai bien peur que M. Moerte ne puisse répondre à vos questions. Depuis son attaque, il est à peine capable de parler.

— Eh bien… Dans ces conditions, vous pourriez peut-être…

— J'ai déjà dit tout ce que je savais à la police.

La gouvernante avait perdu de sa superbe. Elle semblait maintenant mal à l'aise et même soucieuse.

— Je n'ai rien vu, de toute façon. Je rentre chez moi tous les soirs à 18 heures et je ne reviens ici qu'à 7 heures le lendemain matin.

Elle se tordit les mains, parut prendre conscience de ce que trahissait ce geste et les fourra prestement dans ses poches.

— Y a-t-il quelqu'un d'autre susceptible d'en savoir davantage ? Ces deux adolescentes…

— Est-ce qu'elles vont bien ? s'enquit aussitôt Agatha. Christie, surtout… Tout va bien pour elle ?

Rachel sentit le sang affluer à ses tempes. Cette femme savait quelque chose.

— Non, pas vraiment. En fait, elle…

— Agatha ?

Elles se retournèrent en même temps vers les écuries. Un grand jeune homme élancé s'approcha, releva le bord de son Stetson fatigué et sourit aux deux femmes.

« Joli garçon », se dit Rachel. Mince, brun, il arborait des dents si parfaites qu'il aurait eu sa place dans une publicité pour un dentifrice.

— Salut, Jake ! Cette jeune conseillère sociale est venue poser quelques questions sur l'incendie…

— Rachel Filmore, dit Rachel, la main tendue.

— Jake Moerte. Je suis le neveu de Gatan, expliqua-t-il en lui décochant un sourire éblouissant. Nous avons déjà tout raconté aux policiers.

— Donc, vous n'avez aucune idée de la raison qui aurait pu inciter ces deux filles à s'en prendre à votre oncle ou à ses écuries ?

— Mademoiselle Filmore, mon oncle a quatre-vingt-dix ans. Il vit dans une chaise roulante depuis plus de dix ans. Comment imaginer que quelqu'un puisse lui vouloir du mal ? Surtout des gamines !

— Pourquoi n'avez-vous pas porté plainte ?

Du coin de l'œil, Rachel vit avec intérêt Agatha détourner légèrement la tête, tandis qu'une rougeur gagnait son cou.

— Eh bien… Il n'y a eu aucun blessé, et l'assurance a couvert les dégâts. Je ne voyais pas l'intérêt de stresser davantage mon oncle, voilà tout. A présent, si vous n'y voyez pas d'inconvénient, j'aimerais vous emprunter Agatha un moment. Nous avons des problèmes avec un cheval.

— Bien sûr. Merci de votre aide.

Jake tourna les talons pendant qu'Agatha prenait congé de Rachel.

— Saluez votre mère de ma part…

Rachel ne répondit pas. Pensive, elle les regarda s'éloigner vers l'écurie recouverte de roses.

— Au fait ! lança Jake en se retournant. Dites à Christie qu'elle nous manque, ici !

Le sourire qui accompagnait ces paroles n'avait plus le même charme. Il évoquait plutôt un animal montrant les crocs pour menacer un rival. A côté de lui, Agatha n'avait même pas osé lever la tête.

Les soupçons de Rachel se précisèrent.

Elle avait encore la chair de poule en se glissant derrière son volant et se hâta de mettre le moteur en route. Elle sentait peser sur elle un regard qui ne pouvait être que celui de Jake Moerte.

Son estomac lui rappela qu'elle n'avait rien avalé depuis la moitié de sandwich aux œufs durs qui lui avait fait office de déjeuner. Sur une impulsion, elle décida de passer par le centre-ville, pour voir si le boui-boui préféré de sa jeunesse existait toujours. Rien en ce bas monde, surtout à Santa Barbara, n'égalait les *tamales* du Mamacita's.

Une fois au bas de la montagne, elle suivit Main Street en s'émerveillant à chaque croisement du peu de prise que le temps avait eu sur New Springs.

Sur la pancarte Price's Flowers, il manquait toujours le P. Comme avant, la moitié seulement des néons clignotaient au-dessus de l'entrée du cinéma. Ed et Frenchy avaient vieilli, mais elle aurait juré en les voyant avachis comme avant sur le banc devant Moore's True Value qu'ils portaient les mêmes bleus de travail qu'autrefois. Ils agitèrent même la main sur son passage ; elle klaxonna en retour.

C'était surréaliste.

Son sourire s'effaça et un grand froid l'envahit au moment où elle arrivait devant le Main Street Café. La seule vue de l'enseigne ramena dans sa bouche le goût douceâtre de la tarte au chocolat, par un pur réflexe pavlovien. Elle eut un haut-le-cœur et ralentit pour jeter un coup d'œil à l'intérieur.

Contre toute attente, la façade bleue et blanche, et même l'encadrement de la fenêtre donnant sur la rue, paraissaient rafraîchis depuis peu. Bonne idée, l'enjolivure rouge sur le S de Street. Rachel se remémora les jardinières débordant de mégots et de papiers gras, au lieu de ces impatiens écarlates du plus bel effet…

J'ai beaucoup regretté de vous avoir manquée, à chacune de vos visites.

Rachel avait peine à croire que sa mère ait éprouvé le besoin d'entretenir une légende bidon d'amour familial. Cela frôlait le ridicule, vu la manière dont elles s'étaient séparées… Cette scène pathétique…

— Tu reviendras nous voir, hein ? A Noël ? avait demandé Eve dans un nuage de fumée, avec les accents d'une tragédienne jouant les mères éplorées.

— Non. Tant que papa sera là, je ne reviendrai pas.

— Il n'avait pas l'intention de…

— Arrête ! Bon Dieu, maman, arrête de l'excuser ! Dix-sept ans que ça dure ! Je ne peux plus le supporter. Tu es pitoyable. Tu le laisses nous faire du mal tous les jours, et on est censés croire qu'il ne fait pas *exprès* ?

Sa mère n'avait plus pipé mot tandis qu'elle achevait de partager ses maigres affaires entre son sac à dos et un vieux sac marin emprunté à Mac, satisfaite et même ravie, dans quelque recoin obscur de sa conscience, de la souffrance qui se lisait sur le visage d'Eve.

— C'est drôlement facile pour toi de me juger, n'est-ce pas ?

— Ouais, maman, on peut dire que tu m'as facilité la tâche…

Un coup de Klaxon fit tressaillir Rachel, l'arrachant brutalement à ses souvenirs.

Elle leva la main pour s'excuser auprès du chauffeur du camion qui la suivait — quelle idée, de s'arrêter au beau milieu de Main Street ! — et poursuivit son chemin vers le Mamacita's.

Lorsqu'elle poussa enfin la porte de ce minuscule restaurant mexicain qui faisait aussi épicerie, le parfum familier, appétissant entre tous — cumin et poivrons grillés —, l'assaillit et lui fit instantanément venir l'eau à la bouche. Elle passa sans se presser devant le présentoir réfrigéré des sodas et gagna le fond de la salle où Angelo, s'il régnait toujours en ces lieux, réaliserait ses rêves de *tamales*...

— Rachel ?

A l'appel de son nom, la jeune femme se retourna... et se trouva nez à nez avec Mac et Amanda, munis chacun d'une bouteille de soda à la pomme.

— Qu'est-ce que tu fais là ? demanda Mac.

Il avait l'air aussi ébahi qu'elle.

Face à lui, toute la salive de Rachel s'assécha. Le frisson glacé qui l'avait saisie devant le Main Street Café devint une onde de chaleur qui la dégela de l'intérieur.

— J'avais envie d'un *tamale*, répondit-elle sans réfléchir. Salut, Amanda.

Elle se força à lâcher les beaux yeux éberlués de Mac pour se tourner vers l'adolescente, qui esquissa un bref sourire.

— Eh bien, si tu nous tenais compagnie en attendant qu'il soit prêt ?

Mac jeta un regard furtif à sa fille pour solliciter son assentiment. Amanda ne bougea pas un cil.

— Super ! s'exclama-t-il comme si de rien n'était. Allez, viens t'asseoir.

Rachel le suivit avec la docilité d'un agneau mené

à l'abattoir vers le coin restaurant où s'alignaient les quatre mêmes tables qu'elle avait connues adolescente, entourées des mêmes chaises au vinyle écorné.

« A quoi tu joues ? lui criait sa conscience. Tu es devenue folle ? » Sa conscience n'avait pas tort. Ce genre de conduite risquait fort d'ébranler le fragile équilibre qu'elle s'ingéniait à maintenir pour éviter le conflit d'intérêts. A supposer même qu'elle n'ait pas eu une histoire avec Mac, dîner avec une famille au nombre des dossiers à traiter allait à l'encontre des principes de la profession…

D'ailleurs ce ne pouvait pas être elle, cette femme assise sur sa chaise jaune moutarde qui acceptait une assiette de chips. Car tout cela n'avait aucun sens. Il était inconcevable que Rachel Filmore soit attablée au Mamacita's avec Mac Edwards comme si treize années n'étaient pas passées, comme s'ils faisaient cela tout le temps…

— Rien n'a bougé au Mamacita's, n'est-ce pas ? dit Mac, lisant en elle avec son aisance coutumière.

— Ces posters n'étaient pas déjà à la même place, à l'époque ?

Des portraits de femmes en monokini, chevelures de lionne et poitrines siliconées… Du pur années 80.

— Si. A seize ans, j'avais même un sérieux béguin pour cette fille-là.

Mac désignait une petite brune moulée dans

un blouson de cuir par-dessus un Bikini imprimé peau de panthère.

— Dégoûtant ! murmura Amanda.

— Toute la ville est restée la même, dit Rachel. En descendant Main Street, j'avais l'impression d'être revenue quinze ans en arrière.

Elle déplaça le coude pour permettre à une jeune serveuse qui portait sur le corps moins de tissu que de quincaillerie dorée de poser sur la table un bol de sauce en plastique.

— Rien ne change à New Springs…

— Sauf le temps ! achevèrent en chœur Amanda et Rachel.

Toutes deux se regardèrent bouche bée.

— Il va falloir que je renouvelle mon stock de boutades, marmonna Mac.

— Si tu continues à sortir celle-ci à tout bout de champ, dit Rachel, c'est même une urgence.

Elle fit les gros yeux à Amanda, tout heureuse d'utiliser son père pour établir une connivence avec elle.

Amanda sourit. Cette fois, c'était un vrai sourire, qui laissait voir en filigrane les traits de ses deux parents — et soudain, la décision de s'attabler ici avec Mac et Amanda n'eut plus rien d'incongru aux yeux de Rachel. Elle ne menaçait ni son indépendance ni sa tranquillité d'esprit, elle était *naturelle*.

La jeune femme commença à se détendre. Pour la première fois, elle respirait normalement en présence de Mac. L'armure d'acier qui lui enserrait la poitrine avait disparu comme par magie.

— Tu as déjà passé commande ? demanda Mac.

— Non, pas encore.

— Je m'en occupe, dit-il en se levant pour s'approcher du comptoir.

Rachel se pencha vers Amanda et demanda à voix basse :

— Est-ce qu'il a toujours ce tic, au moment de commander des *tamales*... ?

— C'est de pire en pire.

Elle étouffa un gémissement et plaqua les mains sur ses yeux. Son cœur fit un bond quand elle entendit Amanda pouffer de rire.

— Quatre *tamales* bien chauds, je vous prie ! lança Mac avec un fort accent espagnol. J'insiste : bien chauds ! ajouta-t-il en agitant les mains comme s'il se brûlait.

— Poulet ou bœuf ? répliqua Angelo sans lever la tête de ses fourneaux fumants.

Le patron n'avait pas l'air de trouver ça drôle, mais Rachel était pliée en deux. Même Amanda souriait jusqu'aux oreilles.

— Poulet ! répondit Mac avant de se tourner

vers Rachel. Tu préfères toujours le poulet, n'est-ce pas ?

— Toujours, confirma-t-elle, la gorge serrée.

— Vous veniez souvent ici, papa et vous ?

Elle se tourna vers Amanda, qui l'observait avec attention.

— Tout le temps. Angelo nous laissait même entrer le soir après la fermeture.

— Pourquoi vous ne retourniez pas chez vous ? C'était à cause de votre père ?

Plongée dans le grand bain des souvenirs, avec Mac qui en faisait des tonnes, là-bas, au comptoir, Rachel n'eut pas le réflexe de mentir ni d'esquiver la question.

— De *ton* père, plutôt, répondit-elle.

— Vous étiez amoureuse de lui ?

Ces mots lui firent un terrible effet. Elle ne put que fixer Amanda sans mot dire.

— Parce que, poursuivit la petite en triturant de manière gênée le cordon de capuche de son sweat-shirt, j'ai retrouvé tous les trucs qu'il a gardés du lycée et je crois qu'il vous aimait vraiment.

Rachel eut l'impression que son cœur se remettait à saigner. Le temps qu'elle recouvre la voix, Mac était de retour avec les papillotes parfumées, emballées dans des feuilles d'épis de maïs.

— Quatre *tamales* bien chauds, pour deux filles très *calientes* !

— Papa…, grogna Amanda d'un ton réprobateur, comme l'aurait fait à sa place n'importe quelle fille de douze ans.

— Je sais, je sais… Un père ne devrait pas dire ça.

Il sourit à Rachel. Mais la détresse de la jeune femme devait se voir, car il se rembrunit aussitôt.

— Rachel ? Tu vas bien ?

— Elle a faim, c'est tout… N'est-ce pas ? dit Amanda, volant à son secours.

Ses yeux clairs la sondaient. Ils contenaient mille questions et autant de secrets… « Je sais ce que tu veux, semblait lui dire ce regard perspicace. Je sais tout de toi. »

— Très, bafouilla-t-elle en tendant la main vers une papillote. Bon, je ferais mieux d'y aller, maintenant.

— Sois prudente sur la r…

— Restez, dit Amanda — cette fois, ce fut au tour de Mac de rester médusé. Les *tamales* sont très difficiles à manger en voiture.

Rachel et Mac se consultèrent du regard.

La jeune femme devina qu'ils se livraient au même calcul, jaugeant les risques encourus au regard du plaisir. Elle avait envie de rester, mais à quel prix ?

— Elle a raison, murmura Mac, tu arriverais chez toi avec des taches de sauce partout.

Impossible de trouver un prétexte qui ne trahisse une lâcheté coupable. Rachel s'engagea donc dans cette aventure un peu folle.

— D'accord, dit-elle. Laissez-moi juste aller prendre un soda.

Elle se leva en regardant Amanda, qui lui rendit timidement son sourire, et s'éloigna vers les vitrines réfrigérées. Avec un peu de chance, le froid l'aiderait à recouvrer son calme.

Amanda saisit la bouteille de limonade au vol et la reposa avec précaution à côté des deux bières que son père avait failli renverser quelques minutes plus tôt tant il gesticulait en riant aux larmes.

— Mac, arrête ! cria Rachel en abattant la main sur la table. Tu oses mentir devant ta fille ? Je n'ai jamais couru après Joe Gilbert et je n'ai jamais teint mes cheveux en violet !

Son papa et Rachel se comportaient exactement comme elle et Christie quand elles avaient mangé trop de bonbons. C'était d'un comique ! Un peu bizarre, mais très drôle.

— C'est la vérité ! Amanda ? dit son père en se tournant vers elle, la main tendue. Est-ce tu me crois ?

— Non.

— Merci, dit Rachel en s'inclinant devant elle

comme pour saluer la reine. Quelqu'un au moins dans ta famille sait faire preuve de bon sens… Bonne nouvelle !

— Traîtresse, marmonna son père.

Amanda avait mal aux joues à force de sourire d'une oreille à l'autre. Jamais, *jamais* elle n'avait vu son père aussi heureux et cela faisait mal dans la poitrine, comme si elle recevait des coups de poing.

— Je n'ai pas besoin de te rappeler la fois où ta toge est tombée pendant la fête donnée en l'honneur de l'équipe de foot ?

Rachel pliait sa serviette en carrés de plus en plus petits, tout en surveillant Mac du coin de l'œil.

« Ils sont vraiment sur la même longueur d'onde, et le reste du monde n'existe plus », se dit Amanda.

— En effet, c'est superflu.

— Tu portais une toge à cette fête ? releva Amanda. Pourquoi ?

— C'est vrai, ça, Mac. Pourquoi est-ce que tu portais cette…

— Eh bien ! Si je m'attendais !

Ils se tournèrent tous les trois d'un même mouvement. Derrière Mac, un sac de *tamales* à la main, se tenait M. Martinez.

— Salut, Billy !

Mac se leva pour serrer la main de son ami et Amanda, à son grand désespoir, vit la joie de Rachel quitter son visage d'un seul coup. Elle était déjà redevenue la femme pâle et coincée qu'elle était en arrivant.

— Billy Martinez, je te présente…

— Rachel Filmore, acheva Rachel en se levant. Nous nous sommes parlé au téléphone la semaine dernière.

— Mademoiselle Filmore ? De la Protection de l'enfance ?

M. Martinez n'avait pas l'air très content. Quant à Mac, on aurait juré qu'il venait d'avaler par erreur une cuillerée entière de sauce aux piments.

Est-ce qu'ils auraient commis une faute ? se demanda Amanda. C'était probable, mais… laquelle ? Quel règlement serait assez débile pour interdire à son père et Rachel de déguster des *tamales* ou de se raconter des vieilles histoires ? Pour empêcher son père de piquer un de ses fous rires contagieux qu'elle aimait tant, pour la première fois depuis une éternité ?

— Elle-même, confirma Rachel, glaciale. Notre rendez-vous de demain tient toujours, n'est-ce pas ?

— Mais oui. Il me tarde d'y être, ajouta M. Martinez du ton hautain des avocats. Je me pose une foule de questions.

— Parfait. Moi de même.

Le sourire de Rachel était aussi tranchant qu'un

couteau. Elle saisit son sac et attrapa son assiette vide pour l'emporter jusqu'au comptoir.

— Mac, Amanda, merci de m'avoir invitée, dit-elle.

Son salut semblait s'adresser à des clients anonymes, et non aux amis avec lesquels elle riait encore aux larmes cinq minutes plus tôt.

Amanda se retint de hurler.

Le silence la déchirait de l'intérieur, exactement comme quand sa mère était encore en vie. L'air de la salle était chargé de toutes ces choses que Rachel, son père et M. Martinez avaient envie de se dire, tout en préférant les taire. Il devenait irrespirable.

« Parlez ! » aurait-elle volontiers ordonné à ces adultes. Seulement…

La dernière fois qu'elle avait crié cet ordre, sa mère en était morte. Alors, mieux valait rester bouche cousue.

— Au revoir, Rachel.

Son père, de son côté, avait repris la voix morne à laquelle elle s'était habituée au point d'oublier qu'il en avait une autre, joyeuse et pleine de vie.

— Bonsoir, répondit Rachel.

Sur un dernier sourire qui ne s'adressait à personne en particulier, Rachel s'éloigna. Ses jolies boucles brunes virèrent au bleu, puis au rouge, quand elle passa sous les néons.

— Seigneur, Mac ! grommela M. Martinez entre ses dents d'un ton de reproche. Qu'est-ce que tu fabriques ?

— Pas de souci, Billy, répondit-il en rassemblant les serviettes en papier pour les entasser sur le plateau. Tout va bien pour nous.

Oh non, tout n'allait pas bien ! songea Amanda Et chacun d'eux le savait. Mais ils faisaient comme si c'était un secret qu'il fallait garder pour la protéger.

Elle secoua la tête. S'ils savaient les secrets qu'elle gardait, elle, pour les protéger, tous !

Chapitre 12

En arrivant dans son bureau le lendemain matin, Rachel découvrit Olivia assise à sa place, dans le fauteuil.

— Bonjour, lança-t-elle. Tu veux qu'on permute ?

Elle alla suspendre sa veste au portemanteau comme si tout était normal, y compris la présence d'Olivia ici, dans le noir, avant l'heure d'ouverture officielle.

Sa chef de service ne s'embarrassa pas de préliminaires. Elle se leva, se planta devant Rachel et, fidèle à son tempérament, alla droit au but.

— Je veux que tu lâches le dossier Edwards. Aujourd'hui, précisa-t-elle. Tout de suite…

— Je… je ne peux pas.

Rachel secoua la tête, contrariée d'entendre sa voix trembler.

— Je me fiche de savoir si tu peux ou non. Tu vas le lâcher. Billy Martinez m'a appelée ce matin…

— Cet espèce de traître ? marmonna Rachel en laissant tomber son sac sur la chaise à côté d'elle.

— Tu trouves ça drôle ?

— Non. Seulement très exagéré.

— Oh, vraiment ? Quelle partie de l'histoire ? Celle où tu partages le dîner d'une famille pour laquelle tu travailles ?

Le ton narquois d'Olivia inquiéta Rachel. Elle n'avait jamais vu sa chef aussi furieuse.

— Précisément. On s'est rencontrés là-bas par hasard, c'est tout.

— Bien sûr. Ça, je peux le comprendre…

— Alors, où est le problème ?

— Le problème, c'est que tu m'as menti ! Tu m'as raconté que Mac Edwards était ami avec ton frère. Mais pas un mot sur la relation que tu avais toi-même avec cet homme ! Figure-toi que Me Martinez s'est renseigné à ton sujet.

— Qu'est-ce que…

— Arrête de me prendre pour une idiote ! hurla Olivia.

— D'accord, d'accord ! dit Rachel en levant les mains comme si Olivia pointait un revolver à la place de son index.

L'image n'était pas si fausse. C'en serait bientôt fini de sa carrière à la Protection de l'enfance. Elle avala sa salive, cherchant désespérément un moyen de désamorcer la crise.

— Moi aussi, commença-t-elle, j'étais amie avec Mac.

— Amie, vraiment ? A New Springs, tout le monde sait, paraît-il, qu'il y avait plus qu'une simple amitié entre vous…

— Il y a eu quelque chose, concéda Rachel du bout des lèvres. Une seule fois, et…

— Je te retire le dossier. Tu es en sursis, avec mise à l'épreuve.

— Olivia !

— Tu as de la chance que nous soyons amies. Frank aurait réclamé ta démission sur son bureau avant la fin de la matinée.

— Je ne peux pas abandonner Amanda maintenant. C'est impossible ! On est tout près d'aboutir…

— Et toi, tu es tout près de bousiller six années de travail dans ce service. Tu as largement outrepassé le code rouge, Rachel ! Voilà des semaines que je te mets en garde sur ce dossier ! Mais qu'est-ce qui t'est donc arrivé ?

« Mac, songea la jeune femme. Voilà ce qui m'est arrivé : Mac, et Amanda… »

Au Mamacita's, hier soir, elle s'était amusée comme une folle et cela ne lui était plus arrivé depuis des années. Elle se sentait bien. C'était aussi simple que cela. Elle se sentait… heureuse.

— Accorde-moi un jour, plaida-t-elle. Un seul.

Ensuite, je laisse tomber. Tu pourras me rétrograder.

— Je ne vais pas m'amuser à négocier avec toi, Rachel. Ou tu lâches le dossier, ou tu quittes le service. A toi de choisir.

Démissionner… Pourquoi pas ? Cela ne l'empêcherait pas de poursuivre son enquête, de manière officieuse cette fois, à l'insu d'Olivia. Il n'était pas question qu'elle laisse tomber Amanda maintenant et quitte Mac pour la seconde fois. Les jours prochains allait se jouer une partie capitale pour eux, elle le sentait. Et sa place était à leurs côtés.

— Très bien, dit-elle. Je démissionne !

Olivia secoua la tête.

— Tu crois que tu peux m'avoir aussi facilement ?

— Mais je ne…

— Ne va surtout pas t'imaginer que ça te permettra de garder la main sur ce dossier. Si j'apprends que tu as franchi les montagnes, tu peux dire adieu à ton boulot. Un mot à la petite Edwards, et c'est la porte direct !

Dos au mur, Rachel n'y réfléchit pas à deux fois.

Un changement subtil était en train de se produire dans ses veines… Ses molécules se réorganisaient. Une nouvelle femme était en train de naître, et la métamorphose lui paraissait salutaire. Pour la première fois de sa vie, elle avait l'impression de distinguer la vraie Rachel — parce qu'elle avait laissé son armure d'impassibilité au vestiaire.

Cette découverte, c'était à Mac qu'elle la devait. Elle l'avait aidé à évoluer et, en contrepartie, il l'avait changée. Aucun retour en arrière n'était envisageable. Si maintenant elle tournait le dos à cet homme, qu'arriverait-il ? Il replongerait dans son cauchemar alors qu'elle, Rachel, avait le pouvoir de l'en sortir définitivement… Cette pensée lui soulevait le cœur.

Une fois déjà, elle s'était donné la préférence, par pur égoïsme, au détriment de ceux qui avaient besoin d'elle. Ce choix s'était soldé par un désastre… Elle ne recommencerait pas.

— Ma lettre de démission sera sur ton bureau d'ici à ce soir.

Olivia ouvrit des yeux ronds.

— Tu es sérieuse ? Tu veux saboter ta carrière pour un ex ?

— Mac Edwards est plus qu'un ex, Olivia. C'est un ami d'enfance et c'est aussi l'homme le plus digne de respect que j'aie jamais connu. Il mérite que je l'aide. Amanda aussi. Ils ont tous les deux besoin de moi.

— J'espère qu'il en vaut la peine, grommela Olivia en tournant les talons.

La porte claqua, faisant vibrer les stores contre les vitres.

— Il en vaut la peine, murmura Rachel dans le silence revenu.

Sa seule crainte, désormais, était que sa carrière les entraîne tous les trois dans son naufrage.

La ferme résolution que venait de prendre Mac — rester cool quoi qu'il arrive — trouva ses limites dès qu'il entendit Rachel frapper à la porte.

Il fut instantanément pris de frissons comme s'il couvait une grippe.

— Cool, hmm ? marmonna-t-il en se précipitant vers le hall.

Le temps de s'éponger le front, de dessiner sur son visage un sourire désinvolte, il ouvrit enfin la porte…

— Salut, dit Rachel, aussi sereine que le ciel californien au-dessus de sa tête.

Son chemisier vert sombre faisait resplendir ses yeux comme deux émeraudes.

— J'espère que cela n'a pas trop bouleversé ton emploi du temps que j'avance ma visite… ?

— Pas de problème.

Grâce à Dieu, sa voix ne le trahissait pas. Un petit miracle après le rêve qu'il avait fait cette nuit, à la suite de leur dîner impromptu au Mamacita's — un rêve où figurait Rachel, mais nettement moins vêtue que ce soir, et au terme duquel il s'était réveillé plus troublé et plus perdu qu'avant. Certaines images le poursuivaient encore, au point qu'il était incapable de la regarder sans penser au plaisir qu'elle lui avait donné en songe…

Il s'effaça pour la laisser entrer.

— Amanda ! Rachel est arrivée ! lança-t-il en direction de l'escalier. Comment ça s'est passé, avec Billy ? ajouta-t-il en l'invitant à le précéder dans la cuisine.

— Bien.

— L'interrogatoire a dû être serré…

— Ma foi, je pense avoir réussi à le convaincre que je ne comptais assassiner ni toi ni ta fille, mais c'est à peu près tout. Comme chien de garde, il est parfait.

Mac cilla.

— Je suis navré. Il a été un très bon ami pour nous toute cette année. Sa femme et lui nous considèrent comme…

— Oh, c'était tout à fait clair !

Rachel se mit à rire et posa sa mallette sur le comptoir qu'il avait eu l'heureuse idée de nettoyer après le petit déjeuner.

— Pour Billy, vous faites partie de la famille, et c'est merveilleux, vraiment, d'avoir des amis qui se soucient de vous à ce point. Tu as toujours su être un bon ami. Tu mérites qu'on te rende la pareille.

Sur ce, elle ouvrit son sac à main et s'absorba dans l'examen de son contenu.

Elle semblait sous-entendre qu'il méritait plus que ce qu'elle lui avait donné... Pourquoi ? Avant que le soir du bac ne vienne tout gâcher, ils avaient connu quatre années de bonheur.

— Tu étais une bonne amie pour moi, dit-il. La meilleure que j'aie jamais eue. Simplement, tu n'as pas été une très bonne petite amie.

Rachel sourit tout en continuant à fouiller dans son sac.

— Merci, Mac. C'est agréable à entendre.

Elle s'agrippait à ce sac comme à une planche de salut. Comment lui en vouloir ? Lui-même parvenait tout juste à se maintenir à flot dans les eaux troubles qui les séparaient. Et le niveau montait avec chaque moment qu'ils passaient ensemble sans essayer de se faire mutuellement du mal...

— Rachel, murmura-t-il en effleurant ses mains crispées, je me suis bien amusé hier soir.

Une rougeur s'épancha sur son cou diaphane.

— Moi aussi, avoua-t-elle sans détour. Je n'avais pas passé un moment aussi agréable depuis des années.

Apprendre qu'elle partageait son sentiment le

bouleversa. Etait-il possible que le passé l'aimante autant que lui ? Qu'elle éprouve la même nostalgie poignante à l'idée des occasions manquées ?

Il caressa du bout des doigts son poignet, dont la légère moiteur répondait à sa propre nervosité.

« Je veux recommencer, pensa-t-il très fort. Je veux te revoir telle que tu es aujourd'hui, gaie, heureuse. Ça me manquait tant. Tu me manquais tant… »

— Salut ! lança Amanda depuis l'entrée.

Mac retira vivement sa main.

— Salut, chérie !

Trop forcée, la voix. Trop joviale. Sa fille en avait parfaitement conscience, il en aurait mis sa main au feu.

— Bon, dit-il, je vais peut-être vous laisser, toutes les deux…

— On ne sort pas ?

— Tu veux aller marcher ? s'étonna Rachel.

Amanda haussa les épaules.

— Elle veut dire « oui », traduisit Mac.

— Alors, allons-y.

Laissant là sa mallette, Rachel rejoignit l'adolescente dans l'entrée.

Lorsqu'elle ouvrit la porte, le soleil entra à foison dans la villa. Elle s'immobilisa un instant sur le seuil, dans l'encadrement de pin clair construit par Mac de ses mains. Sur fond de ciel uniformément bleu, la lumière vive accrochait des reflets éclatants aux cheveux d'Amanda et nimbait d'or la peau de Rachel.

« Voilà la famille dont j'ai toujours rêvé », songea Mac avec tristesse.

— A tout à l'heure, papa.

— A tout à l'heure, Mac, dit Rachel en écho, imitant le ton enfantin d'Amanda, si rare et si précieux à ses oreilles.

— A tout à l'heure, les filles !

Afficher ce bel entrain lui coûta.

A peine avait-il refermé le battant qu'il s'effondra sur la première chaise venue. Maintenant que sa méfiance et sa colère vis-à-vis de Rachel s'étaient dissipées, son cœur semblait prendre un malin plaisir à lui rappeler qu'elle était la seule fille qu'il ait jamais aimée…

Au prix d'un effort de volonté, il se força à se lever pour reprendre sa journée de travail interrompue. Rachel l'avait quitté, treize ans plus tôt, quelle raison aurait-elle de ne pas en faire autant aujourd'hui ?

Le pire, c'était qu'il n'était pas certain de souhaiter qu'elle reste, en dépit du désir sauvage qu'elle lui inspirait. Il n'aurait sans doute pas la force de l'accueillir dans sa vie.

Quel angle d'attaque allait choisir Amanda ? se demandait Rachel avec inquiétude.

Car elle se savait déstabilisée. Après avoir lâché son emploi, puis défendu son honneur face à Billy Martinez, qui la soupçonnait clairement de chercher la perte de Mac, voilà qu'elle enfreignait la loi de l'Etat en discutant avec sa fille…

Dans l'ensemble, c'était une sale journée pour une femme prompte à s'enorgueillir de son détachement professionnel ! Mais elle n'était plus la même. La preuve, elle avait failli tout à l'heure se jeter dans les bras de Mac, il s'en était fallu d'une poignée de secondes… Les effets de la soirée d'hier persistaient dans son sang comme des relents d'alcool. Les rires, le sentiment d'appartenir à quelqu'un, toute cette griserie avait nourri ses rêves… et lui avait coûté son job, au bout du compte.

Tout ça pour deux limonades et un *tamale* !

Rachel ne regrettait rien, cependant. Elle jeta un regard à Amanda, dont les fines épaules remplissaient à peine le sweat-shirt rose. Ses jambes maigrichonnes semblaient tout juste capables de la porter. Changer de conseiller une nouvelle fois maintenant entraînerait cette adolescente intelligente mais psychologiquement fragile dans une spirale d'échec incontrôlable.

L'essentiel était que Mac n'apprenne jamais ce que lui coûtait sa décision. Question de fierté personnelle, d'abord — quelle femme se vanterait d'avoir été virée ? Mais surtout, elle ne saurait pas comment répondre aux questions qu'il ne manquerait pas de lui poser, s'il découvrait qu'elle les avait fait passer, lui et sa fille, avant sa sacro-sainte carrière.

Voilà le résultat. Plus de carrière, plus de boulot, et pourtant elle respirait encore. Et mieux qu'avant, même ! Néanmoins, elle ne se sentait pas le courage de l'annoncer à Mac. Pas encore.

En attendant, elle se prépara mentalement à affronter les demandes d'Amanda sur Mac. Ou sur Billy, peut-être ?

— Je sais qui est votre mère, déclara tout à trac l'adolescente alors qu'elles débouchaient sur la route.

Complètement prise au dépourvu, Rachel observa un moment de silence.

— Est-ce que c'est important pour toi, demanda-t-elle enfin, recouvrant l'usage de sa voix, e savoir qui est ma mère ?

Amanda lui lança un regard narquois.

— Et vous ? Ce n'est pas important pour vous de savoir qui était *ma* mère ?

Décidément, cette fille était trop futée pour son bien. Hochant la tête, Rachel envoya valser un caillou d'un coup de pied.

— Eh bien, parlons un peu de ta maman… Elle te manque ?

Amanda pinça les lèvres et ne souffla mot. « Futée, et têtue juste ce qu'il faut », songea Rachel.

— Est-ce que la vôtre vous manque ? lui renvoya l'adolescente. Vous ne devez pas la voir souvent, puisque vous n'êtes jamais revenue à New Springs.

Rachel déglutit. Elle savait qu'il ne servirait à rien de s'insurger sur le thème : « Ce n'est pas le sujet ! » — Amanda se refermerait comme une huître. La clé d'un entretien efficace, c'était de diriger la conversation sans en avoir l'air. En lâchant un peu de lest par moments, pour mieux reprendre la main un peu plus tard, sans que l'interlocuteur y prête garde.

— Quelquefois, répondit-elle. J'ai rencontré Christie hier...

— Elle était méchante, votre maman ?

Rachel poussa un discret soupir et répéta :

— Quelquefois. Et la tienne ?

Amanda esquissa un sourire sans joie.

— Oh, oui !

— Elle était méchante... avec toi ?

— Ouais. Mais pas autant qu'avec papa.

Rachel s'interdit de réagir, quand bien même cela lui fendait le cœur pour Mac.

— Amanda, à quoi ressemble la mère de Christie ? Elle n'était pas là quand je suis passée chez elle...

— Elle travaille beaucoup.

— C'est ce qui a poussé Christie à décrocher ce job au ranch ? Elle voulait s'occuper après les cours ?

Amanda ramassa une petite pierre noire sur la route et la fit rebondir dans sa paume.

— Quand vous disiez que votre mère était méchante… Elle vous criait dessus ?

— Disons qu'elle ne s'interposait jamais quand mon père nous battait, mon frère et moi. Et elle n'a jamais essayé de nous emmener loin de lui. Tu sais, Christie n'était pas seule quand je…

— Ma mère à moi était très gentille, au début. C'était même la plus jolie de toutes les mères, à la sortie de l'école.

— Et… que s'est-il passé ?

— Je ne sais pas… Elle a commencé à crier après papa tout le temps, et comme il refusait de se disputer avec elle, elle a pris l'habitude de partir. Une fois, elle a disparu une semaine entière.

— Tu as eu peur ?

Amanda acquiesça.

— Mais quand elle est revenue, c'était encore pire. D'après papa, il faut pardonner aux autres. Moi, je n'ai pas pu.

— C'est difficile, concéda Rachel.

— Est-ce que vous avez pardonné à votre mère ?

— Non.

— Papa dit que certaines personnes font du mal aux autres sans le savoir parce qu'elles souffrent, elles aussi.

— Ton papa est très perspicace, commenta Rachel tout en se demandant si Mac avait acquis cette sagesse à son contact.

— Est-ce qu'il vous arrive de souhaiter sa mort ? interrogea encore Amanda d'une petite voix.

Rachel s'arrêta net et fixa sa jeune compagne.

— La mort de votre mère, je veux dire.

— Ça m'est arrivé, oui. Amanda, as-tu quelque chose à me dire sur l'accident qui a coûté la vie à ta mère ?

— Je dormais.

— Tu sais, dit-elle d'une voix douce, souhaiter la mort de quelqu'un, ça ne suffit pas pour le tuer.

Amanda s'immobilisa à son tour, les yeux sur ses chaussures.

— Y a-t-il quelque chose que tu voudrais me dire ? Tu te sentirais mieux ensuite, insista Rachel.

Amanda releva la tête. Ses yeux étaient secs, mais ils lançaient des éclairs.

— L'autre jour, dit-elle, j'ai suivi votre mère quand elle rentrait chez elle, après le travail.

Cette fois, c'en était trop. Il était temps de mettre un terme à ce petit jeu grotesque du « qui a la mère la plus méchante ».

— Amanda…

— Vous avez grandi dans un vrai trou à rats ! Votre mère n'a pas l'air très vaillante, d'ailleurs. Je parie qu'elle est malade.

Ces mots atteignirent Rachel avec la violence d'un direct au foie. Elle eut la sensation que sa chair se déchirait et dut se forcer à respirer pour rester debout. Une envie folle la prit de tourner les talons, de fuir cette fille et ses mots cruels…

Rassemblant son courage, elle répliqua d'une voix blanche :

— Je ne pense pas que tu souhaites réellement parler de ma mère, Amanda.

— En tout cas, je ne veux plus parler de la mienne !

— Alors, parlons de Christie, d'accord ?

Pour toute réponse, Amanda lui jeta un regard mauvais.

— Elle n'était pas seule, quand je suis passée à l'appartement. Il y avait deux garçons plus vieux qu'elle dans le salon.

— Plein de garçons lui tournent autour, depuis quelque temps.

— Elle a toujours été comme ça ?

— Non ! Christie était normale, avant. Elle passait à la villa tous les jours après les cours.

— Et… plus maintenant ?

— Je n'ai pas envie de parler de ces trucs-là.

— Alors, de quoi veux-tu parler ?

— Pourquoi vous ne vous êtes pas mariée avec papa ?

Rachel faillit littéralement tomber à la renverse.

— Amanda, ce ne sont pas…

— Ce ne sont pas mes affaires, c'est ça ? s'exclama Amanda, rouge de colère. Mais vous n'avez aucune idée de ce qu'elles sont, mes affaires !

— Christie et ces garçons, par exemple ?

— Bien sûr. Tous les secrets, je les garde, Rachel ! Je sais pour vous et papa, je sais pour Christie et les garçons…

Sous le coup de la frustration, et parce que cet échange la faisait souffrir le martyre elle aussi, Rachel décida alors de jouer son va-tout.

— Et Jake Moerte ? Est-ce qu'il te concerne ?

L'adolescente devint toute pâle. En voyant ses lèvres trembler, Rachel ne douta plus d'avoir touché au but.

— Jake ? Qu'est-ce que vous savez sur lui ? chuchota Amanda.

— Je l'ai rencontré hier. Il m'a demandé des nouvelles de Christie.

Amanda se tut. Des larmes brillaient maintenant dans ses grands yeux bleus, des larmes de rage, crut comprendre Rachel.

— Qu'est-ce qu'il a dit ?

— Amanda…

— Qu'est-ce qu'il a dit sur Christie ? répéta l'adolescente un ton plus haut.

— Il a dit que Christie lui manquait.

A ces mots, Amanda se recroquevilla tandis que son visage se décomposait en un masque de chagrin. Son désarroi était si pénible à voir, que Rachel dut elle aussi retenir ses larmes.

Avec une lenteur calculée, elle se rapprocha d'Amanda.

— S'il a quelque chose à voir avec ce qui est arrivé...

— Est-ce qu'il fera du mal à Christie ? demanda Amanda d'une voix sourde.

— Parce qu'il lui en a déjà fait par le passé ?

— Est-ce qu'il peut lui faire du mal ? hurla-t-elle.

— Oui, ma chérie. Il peut. A moins que tu ne saches quelque chose susceptible de...

— C'est censé rester un secret, gémit Amanda. Christie a dit que c'était un secret et j'ai promis. J'ai promis !

Là-dessus, elle éclata en sanglots.

Rachel posa une main hésitante sur son épaule.

— Amanda, raconte-moi. Si Jake a fait quelque chose à Christie, il doit être puni. De ton côté, si tu sais quelque chose et que tu me le dis, tu ne feras aucun tort à ton amie, au contraire. Tu l'aideras. C'est le silence qui est en train de vous tuer, toutes les deux.

— Je n'en peux plus, de ce silence, de tous ces secrets ! gémit Amanda, dont les pleurs redoublèrent.

Cette fois, Rachel n'hésita plus et attira contre elle l'adolescente.

— Rien ne t'oblige à les garder, ces fichus secrets. Rien du tout, murmura-t-elle dans les cheveux couleur des blés mûrs.

Amanda vacilla et s'accrocha à ses épaules. Rachel l'enveloppa de ses deux bras pour garder son équilibre et insista :

— Amanda, est-ce que Jake a fait du mal à Christie ? Est-ce que c'est pour ça que vous avez mis le feu ?

Le hochement de tête était imperceptible, mais Rachel le sentit contre son épaule.

Son cœur battit la chamade ; le soulagement fut si grand qu'il lui engourdit bras et jambes. Ses propres genoux menaçaient de se dérober.

— Qu'est-ce qu'il a fait, Amanda ?

La réponse, elle la connaissait déjà, au creux de son estomac nauséeux. Mais Amanda avait besoin d'expulser ses démons sous peine d'être dévorée toute crue.

— Il avait l'habitude de passer quand elle nettoyait les écuries, hoqueta Amanda.

Elle s'interrompit et secoua la tête contre l'épaule de Rachel.

— C'est bon, prends ton temps.

Lentement, toute l'affaire vint au jour.

Christie travaillait au centre équestre depuis environ deux mois, quand Jake avait commencé à lui accorder une attention particulière.

— Elle le trouvait si gentil, il venait lui tenir compagnie en lui parlant de sa mère…

Mais l'attention particulière avait laissé place, peu à peu, à des remarques d'un goût douteux, puis à des caresses de plus en plus audacieuses.

Et pour finir, Jake avait violé Christie dans l'écurie.

— Elle était si mal… Elle disait qu'elle brûlerait toute la ferme pour se venger de Jake !

— Pourquoi n'est-elle pas allée voir la police ?

Amanda lui jeta un regard désabusé, un regard d'adulte qui en savait déjà long sur la honte des victimes et la méfiance qu'elles éprouvent vis-à-vis des autorités.

« Question stupide », songea Rachel en s'excusant d'un sourire attristé, tant la maturité trop précoce d'Amanda l'affligeait.

— Pourquoi l'as-tu accompagnée, ce soir-là ? reprit-elle.

— Je ne pouvais pas la laisser y aller seule. J'ai cru que j'arriverais à la faire changer d'avis, mais…

La voix d'Amanda mourut.

Elle se tenait si immobile, si fragile que le plus léger contact aurait pu la briser en mille morceaux.

— Je ne voulais pas qu'elle souffre !

— Bien sûr. Je sais. Shh… Là…

Les frissons avaient repris en même temps que les pleurs qui la secouaient avec violence.

Rachel la berça longuement. Elle pressa des baisers dans ses cheveux, lui chuchota à l'oreille les mots les plus apaisants qui lui vinrent à l'esprit. Les tremblements diminuèrent.

— Tu es une fille solide et courageuse, Amanda…

— On doit le dire à papa ?

— Je crois que ce serait mieux. Pas toi ?

Amanda hocha la tête en silence, puis :

— Qu'est-ce qui va se passer, maintenant ?

— Eh bien, tu vas aller rejoindre ton père, et moi, je vais appeler la police.

— Est-ce que Christie ira en prison ?

— Bien sûr que non. Mais il faudra que tu ailles trouver les policiers pour signer ton témoignage.

— Tu viendras avec moi, dis ?

Le tutoiement était venu tout naturellement. Bouleversée, Rachel fut submergée par un mélange de soulagement et de gratitude.

— Bien sûr, chuchota-t-elle enfin. Bien sûr, ma puce…

***

Mac offrait une assez bonne composition du papa décontracté, occupé à bricoler dans le garage. Rachel, cependant, ne fut pas dupe. Il se tenait en effet près de la porte, un chiffon à la main, loin des étagères où étaient rangés les outils…

Dès qu'il l'aperçut sur la route avec Amanda accrochée à ses jupes, il lâcha le chiffon et se précipita à leur rencontre.

De telles retrouvailles entre parents et enfants, après une percée décisive, représentaient d'habitude un moment de fierté extrême pour Rachel. Elle acceptait alors éloges et remerciements avec un mélange d'humilité et de gratitude, heureuse que la crise ait été résolue dans l'intérêt de chacun. Ces scènes de réunion émouvantes, ponctuées de pleurs et d'embrassades, marquaient l'aboutissement de son travail et la récompensaient des efforts consentis.

Aujourd'hui pourtant, les larmes discrètes et pudiques de Mac mirent à mal sa fierté. En l'occurrence, elle n'était plus la bienfaitrice extérieure qui avait permis le dénouement : vivant la scène de l'intérieur, elle était comme les autres submergée par ses émotions.

— Amanda ! Qu'est-ce qui s'est passé ? Tu vas bien ?

Mac cueillit en douceur entre ses mains tremblantes le petit visage froissé de sa fille.

Rachel respirait avec difficulté. Son cœur lui faisait un mal de chien. Broyée, pulvérisée, anéantie, sa belle façade de conseillère s'en était allée. Elle se retrouvait totalement démunie, et son cœur mis à nu était désormais exposé à tous les vents.

— Chérie ? Réponds-moi… Qu'est-ce que… ?

Rachel obligea doucement Amanda à se détacher d'elle. Sa tâche était accomplie ; elle devait partir, maintenant, et poursuivre sa route.

Une fois arrimée à son père, Amanda tremblait toujours. Rachel le sentait encore dans ses tripes.

— Pardon, papa, pardon ! sanglota l'adolescente, la tête enfouie dans son cou.

Au-dessus de sa tête, le regard égaré de Mac témoignait de sa confusion.

— Mais qu'est-ce qui se passe ?

— Amanda a quelque chose à te dire, articula Rachel. Tout ira bien, je crois.

Elle fixa les cheveux de la petite pour ne pas voir le visage de Mac traversé d'émotions. Si seulement elle avait eu le droit d'assister à cette scène… D'en faire partie… De trouver refuge dans les bras solides de Mac Edwards…

Mais ce droit, elle ne l'avait pas. Elle y avait renoncé sans avoir conscience de ce qu'elle perdait là.

— Chérie, calme-toi, chuchotait Mac à sa fille. Tout ira bien…

Rachel gagna la villa, le cœur lourd. Elle avait maintenant la preuve que la vie de Mac, son foyer, l'amour qu'il distribuait si généreusement, étaient inestimables — et définitivement hors de sa portée.

Trois coups de fil plus tard, la mission de Rachel était close.

Elle appela d'abord la police, qui s'engagea à prendre contact avec Christie et sa mère au plus vite ; après cela, selon toute probabilité, Jake serait arrêté. Puis elle laissa un message sur le répondeur d'Olivia, et un autre sur celui de Lois, pour l'informer des événements et lui donner le nom d'Agatha Hintches qui en savait sûrement plus qu'elle ne le laissait entendre.

Après avoir raccroché, elle prit son sac et sa mallette. Le moment était venu de partir pour ne plus jamais revenir, puisque Mac n'avait plus besoin d'elle.

De nouveau, la morsure des larmes.

Rachel se traita d'idiote, sans succès. Le précipice était là, béant, qui l'aspirait — celui-là même qu'elle avait tenté de fuir en tournant le dos à Mac treize ans plus tôt. Elle avait cru se couper ainsi des émotions fortes et des aléas de la vie amoureuse…

Douce illusion ! Ce soir, dans la cuisine de Mac, ces mêmes émotions menaçaient de l'anéantir.

Et il lui tardait d'esquiver tout cela, de fuir tout ce qui lui faisait envie…

La porte s'ouvrit doucement. Mac pénétra à son tour dans la villa, un bras enroulé autour des épaules de sa fille comme s'il comptait ne jamais la lâcher.

— Nous devons aller au commissariat, je suppose ? demanda-t-il.

— Oui, Amanda doit remplir quelques formulaires, confirma Rachel en passant la bride de son sac sur son épaule.

— Tu t'en vas ? s'écria la petite en se redressant. Tu avais promis de rester !

— Amanda, Rachel est très occupée, elle a peut-être…

— Tu devais venir avec moi !

La voix d'Amanda se brisa.

— Bien sûr, bien sûr. Je vous suis, dit Rachel très vite, soucieuse de calmer le jeu. Je laisserai ma voiture ici et je la reprendrai… plus tard.

Le supplice n'était donc pas tout à fait terminé. Encore un peu de patience.

Rachel traversa la cuisine tête haute, stoïque. Un regard au visage épuisé de Mac, que les traces des épreuves passées lui rendaient d'autant plus précieux, lui fit comprendre qu'elle se mentait à elle-même depuis un bon bout de temps.

Sa vie avait basculé à la seconde où elle avait franchi pour la première fois le seuil de la villa.

Chapitre 13

Deux heures plus tard, deux heures aussi éprouvantes pour le corps que pour l'esprit, Mac déplaça doucement sa fille assoupie dans ses bras pour prendre les clés de la villa au fond de sa poche.

— Là… Attends, chérie, je n'arrive pas à…

Rachel s'en chargea à sa place. Elle glissa la main dans sa poche avant et la ressortit en un clin d'œil.

— J'ai !

La laissant batailler avec la serrure, il observa le ballet des insectes autour de la lampe du porche en serrant contre lui sa fille, qui poussa un soupir et enfouit le visage sous son bras.

Rien n'arrive sans raison.

Cindy, belle-mère avisée, lui soufflait toujours un dicton de ce genre dans les moments où il avait l'impression que le monde s'écroulait autour de lui. Ce soir, pour la première fois, il se demanda si c'était vrai. Quelle série de hasards, quel plan divin lui avaient rendu Rachel juste à temps pour sauver sa famille ?

La porte s'ouvrit. La jeune femme pénétra dans la maison plongée dans le noir.

— Attends-moi, chuchota-t-il avant de se diriger vers l'escalier.

Rachel n'avait pas croisé son regard depuis la promenade miraculeuse avec Amanda. Tant mieux, parce qu'il était au bord de la rupture. Un seul regard d'elle, gorgé de douceur et de gentillesse, et il s'effondrerait.

Il poussa du pied la porte de la chambre d'Amanda, puis se fraya un chemin avec précaution à travers le désordre de vêtements, de livres et de CD éparpillés sur le sol, pour aller déposer sa fille sur le lit.

Très ému, il écarta des mèches égarées sur son visage gracile et lui retira ses tongs. Il ne put s'empêcher de bercer le petit pied, d'effleurer les ongles vernis de rose… Amanda se tourna sur le côté avec un soupir. Son pied échappa aux mains de Mac, qui s'agenouilla devant le lit.

Il ne tenait plus debout. C'était à peine s'il avait encore la force de trouver son souffle. Il se frotta le front d'une main tremblante, contenant ses larmes, puis formula une prière muette : « Merci, mon Dieu, d'avoir ramené Rachel dans ma vie… »

Quelle chance il avait, songea-t-il en écoutant un long moment la respiration régulière de sa fille.

Puis il se releva, heureux, et laissa Amanda dormir dans la lueur de la lune qui veillait sur elle avec toutes les étoiles du firmament.

En passant, il effleura les coccinelles, sur l'interrupteur, et se demanda ce qui se passerait au matin. Quelle créature allait se réveiller de sa chrysalide, et émerger de cette chambre ?

Il referma la porte sans bruit. La réponse à cette question pouvait attendre le matin. Ce soir, en revanche, quelqu'un ne pouvait plus attendre davantage, en bas…

Au rez-de-chaussée aussi, le clair de lune s'invitait à flots à travers la baie vitrée, dessinant des plages d'ombre du côté de la cuisine où Rachel s'était réfugiée.

— Puis-je allumer la lumière ? demanda-t-il.

— Bien sûr.

La voix rauque dériva jusqu'à lui dans l'intimité de la pénombre, lui inspirant des pensées capiteuses sur une amitié qui avait toujours eu le goût de l'amour. Ses projets pour célébrer d'une façon toute particulière son retour à la vie normale, après tant d'années de solitude, se précisèrent.

— Sortons sur la terrasse, veux-tu ?

Sans un mot, Rachel se leva. Il sentit l'air vibrer,

il entendit le bruissement des habits autour de son corps.

— Une bière, ça te dit ?

— Volontiers.

Il prit deux bouteilles dans le réfrigérateur et précéda son invitée au-dehors, conscient de sa chaleur et de son parfum derrière lui, ténu et évocateur.

La brise montant de la vallée rafraîchit momentanément ses ardeurs. Seulement, Rachel s'accouda à la balustrade près de lui, épaule contre épaule, sa hanche vint buter contre lui avant de s'éloigner, et ce pas de deux fortuit enflamma la nuit. Mac redevint l'adolescent assoiffé d'amour qu'il n'avait jamais cessé d'être. Il se sentit fondre, au point qu'il craignit de perdre le sens des réalités. Car la tentation était grande de transformer cette nuit en apothéose… D'en faire un nouveau départ, une seconde chance…

Mais ce n'était qu'une chimère. Parce que, demain, Mac serait de nouveau un père responsable, concentré sur un seul objectif, remettre sa famille sur les rails. Demain, on se dirait adieu et merci, et c'en serait fini de cet amour de jeunesse qui n'avait jamais eu la moindre chance de durer.

— La soirée a été longue, murmura Rachel en prenant une des bouteilles qu'il tenait dans sa main.

— Tout à fait d'accord avec toi.

— Elle a été si courageuse pendant l'interrogatoire… Je n'avais jamais vu une gamine faire preuve d'un tel sang-froid.

— Merci, Rachel…

— Non, protesta-t-elle en levant la main. Ne fais pas ça.

— Je sais, tu n'as fait que ton travail. Il n'empêche que je ne pourrai jamais assez te remercier.

Elle se mit à rire, mais ce n'était pas un son très joyeux.

— Alors ? dit-il. Je suppose que nous aurons une tonne de paperasses à remplir ? Et peut-être une nouvelle audience au tribunal ?

— Je n'en suis pas sûre. Ça dépend.

Rachel but une gorgée de bière et leva le visage vers les étoiles.

— Ça dépend de quoi ? insista Mac, un peu inquiet.

Elle exhala un soupir.

— De votre nouveau conseiller.

— Tu laisses tomber ? s'exclama-t-il, ahuri. Tu nous quittes maintenant ? Tu te dérobes, une fois de plus ?

— C'est tout le contraire, Mac. Si tu veux tout savoir, j'ai été renvoyée parce que je ne vous ai *pas* quittés.

— Renvoyée ? répéta Mac d'une voix blanche.

— Le terme juste est « contrainte à la démission ».

— Si tu reprenais depuis le début, Rachel ? Je n'y comprends rien... Tu as perdu ton emploi à cause de nous ?

— En fait, je l'ai perdu sans doute à cause d'un excès de zèle de ton ami Billy. Après mon appel, il a mené sa petite enquête et il a découvert que nous étions ensemble au lycée. Il a alors téléphoné à ma chef de service, mais je ne crois pas qu'il lui ait parlé à ce moment-là de notre relation passée. C'est après nous avoir vus ensemble au Mamacita's qu'il l'a rappelée pour lui raconter.

Rachel fit tourner sa bouteille entre ses doigts.

— Olivia m'a donné le choix. Laisser tomber le dossier ou mon boulot. Et... c'est toi que j'ai choisi, conclut-elle avec un sourire voilé de tristesse.

C'est toi que j'ai choisi.

Ces mots ébranlèrent Mac comme un tremblement de terre. Que n'avait-elle fait ce choix treize ans plus tôt ! Ils n'en seraient pas là aujourd'hui...

Contre toute logique, il se surprit à éprouver des remords pour la décision qu'elle avait prise.

— J'appellerai Billy dès demain pour qu'il parle à Olivia...

Rachel secoua la tête.

— Ne te donne pas cette peine. Un peu de temps

libre me fera du bien. J'ai un certain nombre de sujets à éclaircir dans ma tête.

« Est-ce que je fais partie de ces sujets ? » Il dut se mordre la langue pour ne pas lui poser la question. Il n'en avait pas le droit. Quand bien même le désir était toujours là, leur relation était condamnée depuis le début.

— L'expérience a été douloureuse, mais j'aurai au moins appris quelque chose auprès de vous.

— Vraiment ?

— Je ne peux pas fuir mes démons éternellement. Tôt ou tard, il faudra que je reprenne contact avec ma mère et… puisque je n'ai pas d'autres obligations ces temps-ci…

Elle eut un petit rire, faisant visiblement contre mauvaise fortune bon cœur.

— Et ton frère ?

— Je lui ai posté une lettre après t'avoir quitté, le jour de notre dernière dispute. J'ignore s'il la lira, mais je me sens mieux de l'avoir écrite.

— Tu as bien fait, Rachel. S'il y a une leçon que j'ai tirée pour ma part de ces épreuves que je viens de vivre avec ma fille, c'est qu'il ne sert à rien d'ignorer ce qui nous dérange. Le problème s'aggrave au lieu de disparaître.

Une leçon qu'il était en train de réapprendre ce soir…

Le chant des grillons tissait un nid douillet juste

pour eux dans la nuit de velours. L'espace tout autour était si vaste que ses sentiments, longtemps négligés, se déployaient enfin librement. Il sentit Rachel bouger contre son épaule. Une envie impérieuse le prit d'ouvrir les bras pour l'accueillir contre lui. Femme adulte contre homme adulte. Cela faisait si longtemps…

Une lampée de bière l'aida à trouver le courage de se tourner. Il s'appropria du regard son profil, son teint couleur de perle sous la lune, l'éclat de ses yeux… Le petit menton têtu, si charmeur…

— Tu n'as pas changé, chuchota-t-il.

— J'espère bien que si !

Elle baissa les yeux sur son verre. Les boucles brunes retombèrent par-dessus son épaule, dissimulant son visage.

Du bout des doigts, il écarta ce rideau mouvant, effleurant sa joue veloutée. L'air était saturé d'un désir pétillant qu'il ne parvenait plus à juguler.

Un soupir lui chatouilla la paume.

— A ta place, je ne ferais pas cela, Mac…

— Vraiment ?

— Une fois ta gratitude dissipée, dit-elle d'une voix sourde, tu regretteras de m'avoir touchée.

— La seule chose que j'aie jamais regrettée dans ma vie, c'est de ne pas t'avoir davantage touchée, répliqua-t-il en glissant la main sous sa nuque.

Il sentit là tout à la fois sa force et sa vulnérabilité, et attendit qu'elle prenne conscience que ce moment était la conclusion inévitable de son retour ici, auprès de lui.

Tout aussi inévitable était la fuite qu'elle prendrait demain. Mais peut-être, cette fois, pourraient-ils rester amis… Si une telle chose était possible.

— Mac, murmura-t-elle, qu'est-ce qu'on est en train de faire, là ?

Il s'avança tout contre elle en souriant.

— Je suis un peu rouillé, mais donne-moi quelques minutes et la mémoire te reviendra très vite.

Elle rit et tourna vers lui ses yeux d'émeraude embués de larmes.

— Tu m'as tellement manqué, souffla-t-elle.

Le regard rivé au sien, Mac posa les bières sur la tablette de la balustrade et se pencha vers ses lèvres.

Sa bouche un peu rêche, son souffle tiède, son parfum, bière et fleurs mêlés, lui donnèrent le tournis.

Il l'enlaça étroitement, la serra dans ses bras le plus fort possible. Au contact du doux renflement de la poitrine, ses doigts s'animèrent, brûlant de toucher davantage, de *sentir* davantage… Comme il aurait aimé immortaliser ce baiser, et l'emporter avec lui pour les années futures, quand sa perfection lui semblerait le fruit d'un songe…

Au moment où il croyait que son cœur allait

imploser de désir et de frustration, les lèvres de Rachel s'entrouvrirent.

Entre eux, le feu tenu à couvert pendant tant d'années repartit d'un coup, incontrôlable. Il ne rêvait plus que de s'imprégner de cette femme, de l'avaler tout entière, de marquer sa peau d'une empreinte qui l'empêcherait à jamais d'oublier...

— Je n'ai rien oublié, chuchota-t-elle.

Lirait-elle dans ses pensées ? Avant qu'il ait pu prononcer un mot, elle l'embrassa, le mordit, le chercha de sa langue et de la pointe des dents, tout en se pressant follement contre lui.

Il se tourna pour la piéger contre la balustrade. Plus que consentante, elle présenta la gorge à ses baisers avides. « Tu es à moi, brûlait-il de lui dire. Tu as toujours été à moi ! »

Les doigts enfouis dans ses cheveux, elle l'embrassa de nouveau puis tira fiévreusement sur le T-shirt dont il se débarrassa en un tournemain.

— Regarde-toi, murmura-t-elle en promenant les doigts sur ses muscles comme si elle découvrait la carte d'un trésor caché. Tu es si beau... Mac, tu es l'homme le plus...

Il la fit taire en scellant leurs lèvres. Qui sait quels mots pouvaient jaillir de sa bouche, s'il leur en donnait l'occasion... Plutôt dégrafer ce chemisier qui le rendait fou. Le tissu glissa, révélant un soutien-gorge de dentelle noire. Il caressa les seins ronds et fermes, puis les perles dures pointant sous la dentelle, qu'il cueillit l'une après l'autre entre deux doigts.

Rachel gémit doucement, ferma les yeux et chavira.

— Regarde-moi…

Elle obéit, les yeux languides, tandis qu'il repoussait la dentelle et glissait la main dans le nid tout chaud où palpitaient ses seins.

Il la vit esquisser le sourire d'une femme ivre de désir. Ses lèvres prirent alors le relais, se frayant un chemin dans le décolleté moelleux jusqu'au mamelon qu'il fit rouler entre ses dents comme un mort de faim.

Elle gémit, s'agrippa à ses épaules. Alors, il la souleva de terre et, comme elle enroulait les jambes autour de lui, il éprouva, exquise torture, la pression du cœur brûlant de sa féminité contre son sexe dur. Un soupir rauque lui échappa. Il laissa ses mains s'aventurer sous la jupe, remonter vers les fesses rondes et fermes, et ne tarda pas à trouver sous la soie le territoire humide et accueillant qu'il mourait d'envie d'explorer.

Rachel se cambra, s'écrasa contre lui et, là, il vécut un instant de béatitude absolue.

— Oui, souffla-t-elle.

Ils échouèrent mollement dans une méridienne. Les vêtements de Rachel volèrent sur la terrasse au petit bonheur. Assis en travers d'elle, Mac prit alors le temps de savourer le spectacle terriblement érotique qui s'offrait à lui : Rachel, les boucles en désordre, le regard voilé de désir, les lèvres humides et rougie par les baisers…

— Tu es devenue une femme… magnifique, soupira-t-il.

— Laisse-moi voir ce que, toi, tu es devenu, murmura-t-elle en retour.

Joignant le geste à la parole, elle fit glisser sa main sur la cuisse de Mac, remonta plus haut, encore plus haut… Il ferma les yeux et s'efforça de se maîtriser. Leur nuit ne faisait que commencer et il ne voulait pas en abréger les délices.

Il la sentit bouger. L'enlacer. Son souffle chaud le balaya.

— Quels souvenirs gardes-tu du dernier soir ? lui demanda doucement Rachel tout en le couvrant de petits baisers.

— Je n'ai rien oublié. Je me souviens de tout.

— Moi, je me rappelle surtout tes baisers. Partout, partout…

Mac hocha la tête, emporté par le souvenir du goût de leurs jeunes corps unis pour la première fois.

— J'étais troublée par ce que tu me faisais, poursuivit-elle. J'avais peur, en fait. Tu avais une façon de me toucher…

Elle lui prit la main pour la guider en douceur vers son sexe.

— ... Me toucher là. Mais c'était toi, Mac... Si bien que je me suis laissée faire, et c'était extraordinaire.

— Tu étais si douce à caresser... et tu l'es toujours, murmura-t-il, effleurant sa toison.

— Tu me touchais comme si j'étais un trésor.

Il se pencha sur son ventre, descendit entre ses jambes, et elle tressaillit puis gémit sous la caresse.

— Tu *es* un trésor, murmura-t-il encore. Depuis toujours.

— Et toi, tu es le seul homme, la seule personne qui ait réussi à me le faire croire dans toute ma vie.

Bouleversé par cet aveu, Mac l'embrassa passionnément. Il fallait qu'elle sache combien elle comptait, il fallait qu'il le lui dise avec ses mots, son cœur, son corps...

— C'était notre première fois. J'avais très peur de te faire mal. De te briser.

Il s'inclina pour reprendre ses lèvres, mais se figea soudain de plaisir — elle venait de déboutonner son jean et glissait maintenant la main sur son sexe. Le souffle coupé, tendu à l'extrême, il se laissa caresser, plus vulnérable que jamais.

— Moi, je tiendrai le coup, déclara-t-elle avec

malice, mais voyons un peu ce qu'il adviendra de toi.

Et elle l'embrassa.

Cette nuit-là, ils brûlèrent sans remords les treize années passées. Et lorsque leurs corps se consumèrent tout à fait, ce fut, enfin, ensemble.

— Mac Arthur Edwards, vous êtes toujours un amant merveilleux…

Rachel dessinait des cercles paresseux sur le ventre de Mac.

— Je n'ai que trente ans, répliqua-t-il en lui caressant l'épaule. Je te le rappelle !

Il n'empêche, le compliment le remplit de fierté. C'était agréable de supporter la comparaison avec un gamin de dix-sept ans…

Sous la tête de Rachel, son bras était tout engourdi. Il n'avait pas envie de bouger, cependant. Pour peu qu'ils perdent le contact, la nuit serait finie, déjà demain pointerait le nez, et le moment des adieux arriverait trop vite. Alors, tant pis, il laissa son bras s'ankyloser et la sueur refroidir son corps, tout en regrettant de ne pas détenir de pouvoir magique sur le temps.

Rachel poussa un petit soupir et se lova contre lui.

— C'est déjà le soleil ? dit-elle, l'index pointé vers le ciel qui s'éclaircissait à l'ouest.

— Je crois, murmura Mac en se demandant comment il allait supporter son départ. Veux-tu rester ?

Rachel tourna vivement la tête. Il sentit son regard aigu se poser sur lui.

— Parce que... La route est longue, et il est tard...

— Il est tôt, tu veux dire.

— Juste, acquiesça Mac, souriant en dépit de sa soudaine mélancolie. Alors ?

Elle se hissa sur un coude. Sa chevelure s'étala sur le torse nu de Mac.

— Tu me demandes de passer la nuit ici, avec toi, pour que nous puissions recommencer tout ça d'ici à quelques heures : alors, comment te dire non ?

Elle voulut l'embrasser, mais Mac se déroba.

— Rachel, on s'est mal compris : nous ne dormirons pas dans la même chambre. Tu prendras mon lit et moi le canapé du salon.

Elle se redressa, s'assit. Ensemble, ils regardèrent le ciel sombre se teinter de rose.

— Je ne peux pas déstabiliser Amanda maintenant, reprit Mac. Je ne...

— C'est ta mère, hein ?

Mac haussa les épaules.

— Un peu, sans doute...

Il entreprit de se rhabiller. Rachel posa la main sur son bras.

— Je comprends, Mac. Il n'y a pas de problème.

Dans la lumière laiteuse de l'aube, elle paraissait très jeune. Nue, fraîche. Exactement comme ce premier soir, autrefois…

Seulement voilà, elle avait déjà laissé une fois un champ de ruines derrière elle — alors Mac se fit le serment qu'il ne lui accorderait pas de seconde chance.

Chapitre 14

Rachel sourit dans un demi-sommeil, et roula sur le dos. Les draps ne lui étaient pas familiers. Le lit aussi était étrange, baigné de lumière et de l'odeur de Mac.

Mac... Voilà qui expliquait la lourdeur de son corps, sa torpeur. Elle tira le drap sur elle et s'étira de bonheur.

Mac...

Dans l'enfance, il avait beaucoup souffert d'assister en spectateur à la grande parade des amants de sa mère. Il était légitime qu'il souhaite épargner à Amanda cette vilaine expérience. Cependant, il ne semblait pas saisir que le mal venait non de ces hommes, pour la plupart inoffensifs, mais de la manière dont sa mère avait géré les choses... Aujourd'hui c'était lui qui était aux commandes. S'il prenait le temps de lui expliquer la situation, Amanda ne se sentirait pas menacée. Elle-même l'y aiderait, et...

Allons ! A quoi rimaient ces projets ?

Rachel se mordilla la lèvre. Elle n'arrivait même plus à penser correctement.

Sa vie entière avait été placée sous le signe de la raison. Toujours opter pour le choix le plus logique : telle était sa devise. Elle avait mis de côté ses émotions depuis qu'elle avait quitté Mac. Il lui fallait aujourd'hui en tenir compte.

Elle tâcha de faire le vide dans sa tête. Puis elle attendit. Le tout premier sentiment qui allait lui venir serait une indication sur ses besoins profonds, et sur la meilleure manière de les satisfaire.

L'espoir gonfla en elle en même temps qu'elle se souvenait spontanément de sa nuit avec Mac. Leur étreinte avait été un nouveau commencement. Une seconde chance. C'était une certitude pour elle.

Elle tourna la tête vers la fenêtre. Les cimes des arbres se balançaient dans le vent sur fond de ciel azuré. « Imagine cette vue, chaque matin, se dit-elle. Imagine ce lit, ces draps. Et Mac. Chaque jour. Imagine que tu aies de nouveau ta place auprès de lui et d'Amanda. Imagine-toi formant une famille avec eux ! »

Un sourire s'épanouit sur ses lèvres.

Quand avait-elle franchi ce palier décisif ? Peut-être en suivant Mac sur la terrasse, alors qu'elle pressentait ce qui allait se passer au clair de lune. Difficile d'en être sûre mais, ce matin, elle planait.

Cela faisait des années qu'elle ne s'était sentie aussi bien.

D'un coup de pied, elle envoya valser le drap pour caresser le T-shirt que lui avait prêté Mac pour la nuit. Il était gris, usé, très doux au toucher, et elle savait déjà qu'elle ne le lui rendrait pas, quoi qu'il arrive aujourd'hui.

Elle se hâta de s'habiller puis, le cœur léger, elle quitta la chambre pour aller cueillir au vol cette seconde chance qui lui était offerte.

Un étrange spectacle l'attendait.

Vue du palier du premier étage, la cuisine avait changé d'allure. Elle semblait avoir été la scène d'une bataille de sacs de farine. Mac était plié sur l'évier, pris d'un fou rire aux larmes, le visage blanc de poudre.

— Quelle riche idée, Amanda ! Félicitations ! Ces pancakes vont être un délice…

— Je ne pouvais pas deviner que le sachet exploserait comme ça !

Rachel sourit. Malgré les apparences, Amanda semblait d'excellente humeur.

— Nous ferions mieux de nous contenter de bacon, décréta Mac en épongeant le comptoir.

Quelques tranches de bacon étaient en train

de refroidir sur du papier absorbant près de son coude.

— Mais Rachel…

— … adore le bacon, acheva celle-ci.

Amanda pivota vers l'escalier. Son visage était couvert de farine, mais il rayonnait d'un bonheur dont elle avait été longtemps privée.

De son côté, Mac ne leva pas les yeux.

— Rachel ! Nous étions en train de préparer ton petit déjeuner, mais… il y a eu un petit incident, dit Amanda en baissant les yeux sur son T-shirt rouge qui avait viré au rose pâle sous la fine couche de poudre blanche.

— On dirait.

Rachel s'avança dans la cuisine, tout en surveillant Mac du coin de l'œil. Penché sur son éponge, il persistait à l'ignorer.

Elle sentit comme des cailloux se loger dans son ventre.

— Bien dormi ? demanda Amanda.

— Comme un loir. Et toi ?

— Pareil.

— Et toi, Mac, tu as bien dormi ? s'enquit Rachel.

« Regarde-moi, supplia-t-elle tout bas. Regarde-moi, Mac ! »

— Très bien, merci.

Il fit tomber une pleine poignée de farine dans la

poubelle puis se passa les mains sous l'eau, le tout en lui tournant le dos.

— Il est l'heure de se préparer pour le collège, jeune demoiselle, dit-il. Va donc te changer.

Amanda sourit à Rachel et s'élança dans l'escalier.

— Mac, qu'est-ce qui ne…

— Nous discuterons quand Amanda sera partie.

Sa voix atone fit courir un frisson dans le dos de Rachel. Il étala du beurre de cacahuètes sur deux tranches de pain, puis ajouta une tranche de bacon.

— Je suis prête !

Amanda, qui avait passé un autre T-shirt rouge immaculé, attrapa le sac à dos posé contre la rampe, le balança sur son épaule et dévala les marches. Dans la cuisine, elle s'empara du sandwich confectionné par son père tout en lui tendant la joue pour un baiser.

Puis elle étreignit Rachel, qui se tenait toute raide, figée de chagrin et d'angoisse.

— A ce soir, après les cours ! chantonna-t-elle en courant vers la porte comme un enfant tout à fait normal.

— Amanda, tu ne verras sans doute pas…

— A ce soir, Amanda ! lança Rachel d'une voix forte.

Il n'était pas question de laisser Mac mettre un terme à leur histoire de cette façon. Devant sa fille. Et sans qu'elle ait pu défendre ses chances !

Dès que le battant se fut refermé, elle se tourna vers lui, prête à livrer bataille.

— Elle est métamorphosée, dit-il en poursuivant son grand nettoyage. J'ai du mal à la reconnaître !

— Mac…

— Je ne suis même pas sûr de l'avoir déjà vue aussi heureuse. Tout à l'heure, elle a voulu préparer des pancakes…

Il se tut et secoua la tête.

— Hier matin, à la même heure, je n'ai même pas pu la convaincre d'avaler un verre de lait !

Rachel s'avança et se planta devant lui.

— Ce petit jeu va durer encore longtemps ?

— Rachel, soupira-t-il en baissant la tête, je ne joue pas.

— C'est comme ça que tu traites tes maîtresses au petit matin ? Comme des étrangères ?

— Je n'ai pas de maîtresses, Rachel. Il y a eu toi, et il y a eu Margaret. Point. Tu m'excuseras donc si je ne sais pas trop comment m'y prendre !

— Qu'est-ce que c'est, Mac ? Une manière de vengeance, treize ans plus tard ?

— Non, se récria-t-il aussitôt.

Enfin, il daigna croiser son regard. Rachel eut

un mouvement de recul devant la souffrance qui affleurait dans ses yeux clairs.

— Non, ce n'est... Ce n'est qu'un beau gâchis.

— Trouve mieux, Mac. Si tu espères que je prenne la porte comme si...

Elle n'eut pas le courage d'achever sa pensée. « Comme si je ne voulais pas infiniment plus... »

— Parce que tu voudrais me faire croire que tu resterais avec nous ? Qui essaies-tu de tromper, Rachel ? New Springs est une ville asphyxiante, ce sont tes propres termes ! Tu as oublié ?

— Je veux essayer.

— Essayer quoi ?

Il recula d'un pas. Un courant d'air froid fit frissonner Rachel.

— Tu veux sortir avec moi ? railla-t-il.

Elle haussa les épaules, accablée d'être tombée si vite de son petit nuage.

— Pourquoi pas ? répliqua-t-elle d'une voix faible.

— Pourquoi pas ? Mais tu vis à Santa Barbara !

— C'est à trente minutes d'ici. Ce n'est pas le bout du monde...

— D'accord. Allons jusqu'au bout de cette idée. Nous sortons ensemble, et puis, quoi ? Cette terre m'appartient, Rachel, je ne peux pas la quitter. Alors, c'est toi qui emménagerais ici ? On se retrouverait pour dîner au Main Street Café ? Et ta mère ? Et ton frère ?

— Je te l'ai dit, Mac, je vais m'occuper d'eux.

— Tu ne tiendras pas dix minutes !

Voilà donc la glorieuse opinion qu'il avait d'elle ? Son ironie atteignit la jeune femme au cœur.

— Tu es mal placé pour parler. Ce n'est pas moi qui me défile ce matin, que je sache !

Mac fixa ses mains blanches de farine et garda le silence. Il avait l'air si triste. Un condamné résigné à porter sa croix.

Cette nouvelle chance leur glissait entre les doigts. Rachel en eut les larmes aux yeux.

— Tu m'as tellement manqué, Mac…

Elle vit sa mâchoire se crisper.

— Tu m'as manqué, toi aussi. Mais je dois penser à ma fille…

— Tu comptes rester célibataire indéfiniment, pour qu'Amanda ne soit pas obligée de te partager ? Cela n'a aucun sens !

— Au contraire, rétorqua-t-il, les poings serrés sur le comptoir. C'est essentiel pour le bien de ma famille, en ce moment. Rien n'est plus important qu'Amanda. Ni toi ni moi !

Rachel secoua lentement la tête.

— Tu exagères, Mac.

— Peut-être, mais ma décision est prise.

— Et nous ? demanda-t-elle dans un souffle.

Il se redressa et la regarda droit dans les yeux.

— Il y a treize ans, tu as tout fait pour qu'il n'y ait pas de « nous », Rachel. Tu as dit que tu ne voulais plus jamais me voir. C'était notre seconde chance, et tu as tout gâché.

Elle s'obligea à fermer les yeux pour résister à la douleur.

— Et la nuit dernière, alors ? Qu'est-ce que c'était, Mac ?

— La nuit dernière ? répéta-t-il en fixant de nouveau ses mains. A mon avis, c'était une erreur.

Rachel se détourna et agrippa le comptoir à deux mains. Toucher un objet solide lui permettrait peut-être de garder les idées claires dans le tumulte étourdissant de ses émotions.

— Je suis désolé, Rachel.

Elle le sentit approcher dans son dos et s'écarta vivement avant qu'il ait pu la toucher. Si elle tenait encore debout, c'était grâce à la fureur qui gonflait ses poumons. Elle avait l'impression d'avoir de l'acier à la place des os, et une pierre à la place du cœur.

— Tu es un lâche, Mac Edwards ! Il ne s'agit pas ici de protéger ta fille… Tu as seulement la trouille que je te quitte encore une fois, voilà la vérité !

Elle se retourna d'un bloc.

La beauté de cet homme jetait du sel sur ses

plaies, mais tant pis. Elle le contempla sans faiblir, s'imprégna de lui par le regard.

— Je n'irai nulle part, dit-elle. Je suis là et je resterai là.

— Mais Amanda…

— Parle avec elle, Mac. En ce moment, tu triches avec elle et tu nous prives d'une chance d'être heureux.

— Qui te dit que c'est possible ? Nous avons partagé de bons moments étant jeunes et nous avons pris du plaisir à coucher ensemble. C'est peut-être tout ce que nous pouvons avoir.

Rachel secoua la tête, refusant de s'avouer vaincue. Jamais elle ne s'était battue pour obtenir ce qu'elle voulait, préférant fuir ce qu'elle ne voulait pas… Eh bien, la donne allait changer !

— Je t'aime comme je n'ai jamais aimé personne de toute ma vie, dit-elle d'une voix sourde. Je t'aimais déjà à dix-sept ans, mais je ne savais pas quoi faire de cet amour. C'est pourquoi je l'ai refusé. Aujourd'hui je sais quoi faire et je ne te laisserai pas me repousser. Parle avec ta fille. Donne-nous une chance !

— Peut-être que je ne veux pas de cette chance.

Mac avait changé de ton. Il était plus… vindicatif. Rachel perçut le changement dans les vibrations qu'il dégageait. L'air suintait les reproches inexprimés.

— C'est un gros risque que tu me demandes de prendre, Rachel. Au bout du compte, ma famille en sortirait peut-être déchirée, ma petite fille meurtrie... Tout ça pour que tu me quittes de nouveau ?

Trois pas suffirent à Rachel pour franchir l'espace qui les séparait. Elle posa les mains en coupe autour de son visage. Il tenta d'esquiver, mais elle resserra sa prise.

— J'étais une gosse apeurée, issue d'un foyer tel que je n'en souhaite à personne, dit-elle, martelant ses mots dans l'espoir qu'ils s'infiltreraient dans son cerveau et dans ses tripes. Je ne t'ai pas fait confiance, je ne me suis pas fait confiance non plus. Pardon, mille fois pardon de t'avoir blessé... Par la suite, je me suis attelée à tenir les autres à distance pour ne plus souffrir ni faire souffrir. Maintenant, j'en ai assez. Je veux de nouveau m'ouvrir aux sensations. Je veux aimer, et si ça tourne mal, tant pis ! J'aurai au moins essayé. Parce que je t'aime, Mac.

Avait-il compris ? Avait-il seulement entendu ? En tout cas, il ne bougeait plus. Rachel en profita pour se hisser sur la pointe des pieds et l'embrasser.

Mac joua d'abord les indifférents. De longues

secondes. Et puis, enfin, il l'enlaça et la souleva dans ses bras…

Dans ce baiser, Rachel mit tout ce qu'elle avait. Ses rêves les plus fous, ses désirs les plus ardents, ses aspirations secrètes et ses occasions manquées. Elle ajouta ses vendredis soirs solitaires, et les rendez-vous acceptés de guerre lasse plutôt que de s'abrutir de boulot pour oublier…

Non seulement Mac prit tout cela, mais il le lui rendit au centuple. Rachel se trouva bientôt perchée sur le comptoir, la jupe relevée, chaloupant sous les caresses…

— Mac…

Son gémissement le réveilla d'un coup. Il la lâcha comme une patate chaude et se détourna d'un mouvement rageur, les doigts enfoncés dans sa tignasse.

— Je ne sais pas ce que je dois faire, chuchota-t-il.

Sa confusion, sa souffrance faisaient encore plus mal que sa colère. C'était un signe supplémentaire, infaillible, que le sentiment qui la rongeait de l'intérieur était bien l'amour.

— Moi, je sais, dit-elle.

Elle sauta à terre, la paume pressée sur ses lèvres meurtries, prit ses affaires et s'éloigna vers la porte d'une démarche un peu tremblante.

— Je reste, Mac. Je vais m'installer chez ma mère.

Il ne chercha pas à la retenir.

Les yeux rivés à la peinture écaillée de la façade, Rachel s'interrogea sérieusement sur sa santé mentale.

Mieux valait peut-être revenir un autre jour. Elle n'était pas au mieux de sa forme, après avoir perdu son emploi et subi un revers cinglant de la part du seul amour de sa vie...

Elle appuya le front contre le volant. Là, vraiment, elle avait touché le fond. Donc, elle ne pouvait plus que remonter. Avec un soupir las, elle tourna les yeux vers la pavillon décati de son enfance.

Debout sous la véranda, sa mère la regardait.

Son cœur cessa de battre. Des larmes qu'elle n'attendait pas lui brouillèrent la vue. « Maman, songea-t-elle, que t'est-il arrivé ? »

En treize ans, Eve avait terriblement vieilli. Les épaules étaient plus lourdes, le visage creusé de rides. Quant aux cheveux noirs si épais avec lesquels Rachel jouait à la coiffeuse, ils étaient devenus uniformément gris.

Eve porta sa cigarette à sa bouche et s'effaça dans un nuage de fumée. Voilà du moins un tableau familier : sa mère en train de griller une énième cigarette…

Son sac à la main, Rachel s'extirpa de la voiture, traversa la rue comme un automate et força ses pieds à suivre l'allée défoncée qui séparait en deux la pelouse envahie de mauvaises herbes. Elle s'arrêta néanmoins avant de monter les marches branlantes de la véranda.

— Regarde un peu ce que le vent nous amène enfin…, dit Eve.

Cette voix avait tout du coup de griffe.

— Bonjour, murmura Rachel.

— C'est fou le nombre de gens qui traînent autour de cette baraque ces jours-ci, commenta Eve en tirant une bouffée de sa cigarette. Tu as besoin d'argent ?

De l'argent ? Rachel trouva Dieu sait où la force de sourire, avant de secouer la tête.

Eve n'ajouta rien, se bornant à fumer tandis que Rachel l'observait en luttant contre les démons qui l'agitaient. Partir, rester ? Fuir, ou se battre ?

— J'ai entendu dire que t'étais en ville. Que tu bossais pour Mac et sa petite.

Rachel opina, préférant se taire plutôt que de laisser s'échapper le poison de la rancune accumulée avec le temps.

— Tu as réussi ? reprit Eve. La gamine a de nouveau la tête à l'endroit ?

Elle acquiesça une fois de plus. Il s'ensuivit un long silence que rompit Eve d'un rire rauque de fumeuse.

— Bon ! On peut rester dehors à papoter toute la journée, ou bien prendre un café ensemble à l'intérieur. Je vote pour le café.

Là-dessus, Eve se détourna. Son tablier de serveuse tirait sur ses hanches robustes. Ses cheveux gris lui tombaient de part et d'autre du visage.

De longs cheveux… Comme ils étaient agréables à peigner, jadis ! Petite, Rachel avait passé des heures à essayer sur sa mère toutes sortes de coiffures — tresses, queues-de-cheval, chignons… Leur dernière séance, en particulier, lui revint subitement à la mémoire.

— Magnifique ! avait décrété sa « cliente » en s'admirant dans le miroir taché de la salle de bains. Parfait pour le bal de ce soir !

— Ce sera un million de dollars, avait claironné Rachel du haut de ses huit ans, la main tendue.

— Trop cher ! Je m'en vais plutôt vous donner un million de baisers…

Eve s'était baissée pour la serrer contre sa poitrine douce et ferme et l'étouffer de baisers jusqu'à ce que Rachel, hilare et essoufflée, ne demande grâce.

— Jamais assez, avait soupiré Eve dans son cou. Jamais assez de baisers…

— Maman, dit Rachel.

Eve se retourna.

L'étonnement se lisait sur son visage fatigué. « Je suis désolée. » Rachel avait la phrase toute prête, sur le bout de la langue, mais ce n'étaient pas les mots justes, seulement des mots commodes, qui dissiperaient opportunément le malaise ambiant. A la vérité, elle n'était pas désolée du tout.

La voix d'Amanda résonnait encore dans sa tête.

Papa dit que certaines personnes font du mal aux autres sans le savoir parce qu'elles souffrent, elles aussi.

Rachel ne se sentait pas assez forte pour se délester de la haine qui la rongeait. En pardonnant à sa mère, elle se dégonflerait jusqu'à devenir un sac de peau vide… Qu'est-ce qui l'aiderait, ensuite, à tenir debout ?

« Je ne suis donc que cela ? se demanda-t-elle. Amertume et ressentiment ? »

Cette pensée lui souleva le cœur. Comment s'étonner, après cela, que Mac ne soit pas disposé à miser une seconde fois sur elle ? Qu'aurait-elle à lui offrir, tant que la rancœur prendrait toute la place ?

— Tu n'étais pas une très bonne mère, articula-t-elle enfin.

Eve hocha la tête.

— Tu crois que je ne le sais pas ?

— Je te pardonne. Tu entends, maman, je te pardonne.

— Eh bien…, s'exclama sa mère d'une voix étranglée. Pour sûr que je t'entends. La ville entière peut t'entendre, ajouta-t-elle en poussant la porte.

Juste avant qu'elle ne rentre dans la maison, Rachel saisit sa main calleuse. Et Eve la serra et ne la lâcha plus.

Chapitre 15

Le visage d'Amanda perdit toute couleur.

— Comment ça, « Rachel est partie » ? s'écria-t-elle en lâchant son sac à dos. Quand est-ce qu'elle reviendra ?

— Je ne sais pas, Amanda.

Mac n'avait pas anticipé cet éclat de la part de l'adolescente qui avait quitté la villa en sautillant quelques heures plus tôt. Il aurait dû pourtant prévoir qu'Amanda réagirait vivement en constatant qu'une femme avait passé la nuit chez eux.

Rachel n'aurait jamais dû rester.

Il finit de s'essuyer les mains et suspendit le torchon à la poignée du réfrigérateur, décidé à dire la vérité à sa fille, quoi qu'il lui en coûte.

— Je ne sais pas si elle reviendra un jour, précisa-t-il.

— C'est vrai ? gémit Amanda.

— Ma puce… Elle ne pouvait pas rester là pour

toujours, se défendit Mac, intrigué par la véhémence de sa fille. Sa mission était terminée.

— Mais je croyais que c'était ton amie !

— Elle était… Elle…

Dieu ! Que c'était difficile.

— Elle est mon amie, soupira-t-il. Seulement, elle vit à Santa Barbara et elle a ses propres obligations, son travail et…

Le visage d'Amanda redevenait de pierre. Autant dire que la petite fille entraperçue le temps d'un petit déjeuner disparaissait sous ses yeux. La panique le gagna.

— Je sais que tu l'aimes bien, mais…

Amanda partit d'un rire totalement dénué d'humour.

— Tu sais que dalle, papa !

Mac tressaillit, choqué par ce vocabulaire et la hargne qu'il dénotait.

— Amanda…

Elle s'était déjà réfugiée au premier étage. La porte de sa chambre claqua avec une violence qui fit trembler les fenêtres.

Mac se laissa tomber sur la première marche, la tête entre les mains.

Le manque de respect de sa fille était aussi intolérable que son langage. Il devait s'occuper de ça. Il devait aussi oublier Rachel et faire comme si rien ne s'était passé la nuit dernière. Avant tout, il devait l'aider à récupérer son emploi et réparer ainsi une partie des dégâts.

En somme, il devait reprendre sa vie en main. Là, tout de suite. C'était cela, ou sombrer dans le néant.

Que devait-il faire ? Il avait l'impression d'avoir un balancier dans le cœur. Un coup il s'éloignait de Rachel, un coup il revenait auprès d'elle. Lui faire l'amour avait encore aggravé la confusion de son esprit, voilà au moins un fait incontestable. Il le savait déjà hier soir, du reste, même si la convoitise l'avait emporté sur la raison : céder à ses sentiments pour Rachel ne pouvait que le faire souffrir.

Et maintenant, c'était la souffrance d'Amanda qu'il avait sur les bras.

Il se massa la nuque. La seule femme qu'il ait jamais aimée se révélait aussi l'unique personne capable de déchiqueter sa vie...

Seulement, cette fois, il n'était plus le seul à se retrouver en fâcheuse posture. Rachel avait perdu son job à cause de lui et d'Amanda.

« C'est toi que j'ai choisi », avait-elle dit.

A lui de se montrer digne de ce choix.

Amanda se grattait sans arrêt. Les démangeaisons étaient de retour. Elle les sentait grouiller dans les muscles de ses bras. Elle griffa plus fort la peau des poignets. Si elle pouvait la déchirer, cette peau, peut-être les abeilles s'échapperaient-elles ? Ensuite, tout redeviendrait normal…

Elle étouffa un soupir tandis que le pick-up s'immobilisait dans une dernière secousse devant chez Grandpa.

« Normal », songea-t-elle. Comme si elle savait encore ce que ça voulait dire, « normal » ! Ce matin, elle s'était crue sauvée. Cela avait été si doux de révéler le secret de Christie ! Il avait suffi d'ouvrir la bouche et l'essaim s'était envolé. Elle avait retrouvé le goût de sa vie d'avant tous ces secrets…

Et papa avait tout gâché.

Maintenant, les secrets enflaient en elle et réclamaient à sortir.

Tous.

Maman, l'accident…

Mais si elle parlait, papa pouvait en mourir, se dit-elle.

— Je serai de retour dans quelques heures, annonça Mac. Tu as des devoirs à faire ?

— C'est vendredi, papa.

Il hocha la tête. Elle savait qu'il n'insisterait pas. Elle l'avait déçu tout à l'heure en lui répondant mal ; pour le moment, il lui laissait un peu de répit avant de lancer une discussion les yeux dans les yeux sur le thème « Il vaudrait mieux qu'on se respecte l'un l'autre, parce qu'il n'y a plus que nous deux ici ».

« A qui la faute ? » songea Amanda.

— Bien, dit-il. A mon retour, nous verrons si tu peux battre ton vieux père aux échecs.

— Où tu vas ?

— A Santa Barbara.

— Tu vas voir Rachel ? s'enquit-elle.

— Je ne pense pas. Pourquoi ? Qu'est-ce qui t'inquiète autant ?

— Tu ne devrais pas garder des secrets, papa.

Là-dessus, Amanda sauta à terre et courut retrouver sa grand-mère qui agitait la main en souriant.

— Olivia Hernandez est-elle là, je vous prie, dit Mac à la première personne qu'il croisa en pénétrant dans l'immeuble abritant le service de la Protection de l'enfance.

— Elle est dans son bureau, répondit son interlocutrice avec un sourire aimable mais un peu inquiet.

— Merci.

Arrivé devant la porte d'Olivia, il prit une profonde inspiration avant de frapper, dans un effort pour dominer la colère qu'il avait sentie monter pendant le long trajet jusqu'à Santa Barbara.

— Entrez !

La petite Hispanique au tempérament de feu était assise derrière une pile de dossiers. En découvrant son visiteur, elle se redressa sur son fauteuil en se détachant de l'ordinateur.

— Ça par exemple ! L'homme qui tombe à pic...

Mac pinça les lèvres. La plaisanterie se voulait spirituelle, pas de doute. Devait-il rire ?

— Entrez donc, dit-elle en désignant les chaises étroites et bancales disposées de l'autre côté de son bureau.

— Merci, dit Mac en s'asseyant, bien qu'il eût préféré rester debout.

Olivia croisa les mains sur son ventre minuscule sans pour autant se départir de son autorité de chef. Un vrai tour de force.

— J'ai cru comprendre qu'on avait procédé à une arrestation, dans l'affaire de votre fille... Vous devez être soulagé ?

— Oui, c'était... Oui. Merci.

Le silence s'étira. Mac fixa ses mains. Sa frustration allait galopant comme un feu de broussailles. Il se sentait dépassé par les événements et redoutait plus que tout d'attirer davantage d'ennuis encore à Rachel.

— Je présume que vous êtes venu me voir pour une raison bien précise ? demanda Olivia en haussant les sourcils.

— Oui. Je veux que Rachel Filmore retrouve sa place ici.

Les mots avaient surgi de leur propre chef, sans qu'il l'ait voulu. Olivia le considéra d'un air interloqué.

— Rachel a démissionné...

— Elle a été contrainte à la démission. Ce n'est pas tout à fait la même chose.

Son interlocutrice haussa les épaules.

— Partout ailleurs, avec n'importe quel autre responsable de service, elle aurait été virée. Je dirais qu'elle s'en est bien sortie, compte tenu des règles qu'elle a enfreintes.

— Pourquoi ? Parce que nous étions amis il y a un million d'années ?

— Mac, je ne peux pas discuter de ce sujet avec vous. Vous devez comprendre. Rachel a démissionné, je ne peux rien changer à cela.

Mac se leva, vibrant de colère.

— Cette femme a sauvé ma fille. Elle a sauvé ma famille. Et tout ce que vous trouvez à lui offrir pour récompenser ses efforts et sa compétence, c'est le chômage ?

— Oh, asseyez-vous, gronda Olivia comme si elle avait affaire à un enfant capricieux.

— Pour quoi faire ?

— Parce que j'aimerais connaître l'homme

pour qui mon amie, qui était aussi ma meilleure conseillère, a fichu sa carrière en l'air.

Mac entendit une fois de plus Rachel lui souffler : « C'est toi que j'ai choisi. » Il s'adossa au mur, les dents serrées, et attendit la suite.

— Rachel avait une règle d'or dans sa vie, et cette règle consistait à ne jamais s'attacher, reprit Olivia. Ses petits amis ne le restaient jamais longtemps. Elle ne parlait pas à ses proches, alors que sa mère habite à moins d'une heure d'ici. Je croyais être sa seule amie, et voilà que vous arrivez dans l'histoire…

Inclinant la tête, la jeune femme le jaugea du regard.

— Du jour au lendemain, Rachel a envoyé promener tous ses principes et compromis son travail, son bien le plus précieux, tout cela pour vous ! Pourquoi êtes-vous ici, Mac ? Vraiment ?

La question le prit au dépourvu.

— Mais… je veux qu'elle récupère son emploi. C'est le moins que je puisse faire pour elle…

Pour toute réponse, Olivia braqua sur lui un regard aigu qui le transperça jusqu'à l'âme, bien au-delà de sa colère qui commençait à prendre des proportions extravagantes.

— Vous mentez, déclara-t-elle. Ce qui est en jeu ici va beaucoup plus loin que la simple gratitude.

Je t'aime comme je n'ai jamais aimé personne de toute ma vie.

Mac secoua la tête pour chasser la voix de Rachel.

— Je vous suggère de desserrer les dents avant de vous briser la mâchoire, Mac. Essayez plutôt de me dire la vérité…

Au lieu d'obtempérer, il serra les dents plus fort. Olivia soupira.

— Vous faites la paire, tous les deux. Jamais vu de têtes plus dures que les vôtres !

— Alors, vous savez déjà que je n'abandonnerai pas la partie avant que Rachel ait repris son travail.

— Ah ! Têtu et stupide, avec ça !

Sous l'insulte, le sang de Mac ne fit qu'un tour.

— Dites donc, vous…

Olivia leva la main.

— Billy Martinez m'a appelée pour me dire que votre famille avait besoin d'un conseiller, et non d'une mère de substitution.

— Il se faisait des idées.

— Et j'ai moi-même imaginé les étincelles qui crépitaient entre vous la dernière fois que vous êtes venu ici !

Mac rougit et baissa de nouveau les yeux sur ses mains sans rien dire.

— Depuis un mois, Rachel était méconnaissable.

Dans un contexte différent, j'aurais sauté de joie à l'idée qu'un homme ait réussi à la dépouiller de son armure. Mais là, je m'inquiète pour son équilibre et son bien-être. Alors, si vous quittiez vos grands airs indignés pour m'expliquer ce qui se passe réellement ?

Ce qui se passait ? Il aimait Rachel depuis leur rencontre au cours de sciences première année. Mais il n'était pas prêt à le reconnaître. Du reste, nier l'évidence était devenu chez lui une seconde nature.

— Je dois aider Rachel à reprendre son travail et protéger Amanda, dit-il. Rien d'autre n'a d'importance.

— Protéger Amanda de quoi ?

— Comment ça, « de quoi » ? L'empêcher de souffrir, c'est tout !

Le sourire peiné d'Olivia le toucha plus qu'il n'aurait voulu l'admettre.

— Vous ne pourrez pas rendre son travail à Rachel. Elle a fait un choix, et ce choix, c'est vous. Vous ne pourrez pas davantage empêcher Amanda de souffrir. C'est impossible. J'ai moi-même deux filles que j'emballerais volontiers dans du papier bulle avant de les enfermer à clé dans leurs chambres…

Olivia pressa les mains contre sa poitrine, l'air attendri.

— Mais ce n'est *pas* possible. Vous devez vous fixer de nouveaux objectifs.

— Il n'y en a pas d'autres.

Tout s'écroulait lentement au-dedans de lui, toit, poutres et murs porteurs compris, devant la compassion inattendue et pleine de chaleur humaine de son interlocutrice.

— Et vous ? demanda-t-elle. Quel est votre choix ? Vous avez trente ans, votre amour d'adolescence refait irruption dans votre vie… Vous êtes manifestement aussi accro que Rachel. Entre nous, vous allez tout lâcher ?

Mac se frotta les joues et se tourna vers la petite fenêtre qui donnait sur un autre bâtiment public. Olivia devait avoir bien des qualités pour qu'il tolère sans broncher ses questions indiscrètes.

— Vous êtes douée, concéda-t-il avec un sourire en coin.

— On me l'a déjà dit, répliqua Olivia en lui rendant son sourire.

Mac décida alors qu'il aimait bien cette femme. Il l'aurait même beaucoup appréciée, si elle n'avait pas mis Rachel à la porte.

— Mais vous, vous avez un poids sur les épaules et ça se voit !

— C'est peu de le dire, soupira-t-il.

Son cerveau tenait de la gerboise trottinant indéfiniment dans sa roue. Ses pensées tournaient de plus en plus vite dans sa tête, et Rachel n'en sortait pas.

Olivia se leva et vint se percher face à lui au bord de la table.

— Quel est le problème, Mac ? demanda-t-elle.

Il retint son souffle.

— Ça se passe comme ça avec toutes les familles pour qui vous travaillez ? Vous les attirez dans votre bureau sous un prétexte fallacieux, et vous les amenez à se déballonner ?

Il essaya de rire pour conjurer sa propre envie de se déballonner.

— La triste vérité de mon boulot, répondit Olivia sans s'émouvoir, c'est que je ne peux aider que les gens qui le désirent. Ceux qui s'obstinent à garder leurs petits secrets et leurs gros problèmes, je ne peux rien pour eux.

Mac s'effondra sur la chaise devant elle et jeta l'éponge.

— Si Rachel me quitte une deuxième fois, je n'y survivrai pas, dit-il en s'arrachant un sourire las.

— Vous n'allez pas passer votre vie entière à envisager l'échec ! L'amour, c'est une question de foi. On fait le grand saut chaque matin en espérant que l'autre sera là, le soir, pour vous rattraper.

— J'ai déjà donné, rétorqua-t-il. Un désastre.

— Alors, ce n'était pas de l'amour.

Seigneur ! Ce serait donc si simple ?

Il revit le visage de Rachel le jour où elle l'avait découvert dans ce même bureau. Elle n'était pas contente... Ce jour-là avait été pour lui le commencement de la fin, songea-t-il soudain. S'il avait su la tenir à distance, la rancune aidant, il n'en serait pas là aujourd'hui... Mais quand elle avait tourné vers lui ses grands yeux d'émeraude pour lui présenter ses excuses et réclamer sa confiance, toutes ses résistances avaient cédé d'un coup.

— Rachel a changé, Mac. Vous et votre fille l'avez changée.

Mac poussa un long soupir.

En entrant dans la villa, trois semaines plus tôt, Rachel n'était qu'une pâle doublure de sa vraie personne, toute pâle et si coincée qu'elle parvenait tout juste à se pencher pour s'asseoir. Ce matin, en revanche... Un nouveau soupir lui échappa. Ce matin, elle était différente. Détendue, heureuse. Jusqu'à ce qu'il mette le holà.

Elle avait eu le courage de changer, de lui tendre la main, tandis que lui...

— Je suis un beau dégonflé, murmura-t-il.

Olivia accueillit cet aveu avec un éclat de rire.

— J'en doute ! Il faut un sacré courage pour se lever tous les jours et accomplir ce que vous avez accompli. Parlez avec votre fille. Elle est intelligente, de toute évidence elle aime Rachel et lui fait confiance, ce sera une base de départ. Ensuite, Mac, à vous de bâtir là-dessus ! Puisque Rachel n'est plus votre conseillère, plus rien ne vous retient, conclut-elle avec un clin d'œil.

Plus rien ne vous retient.

Mac sentit ses épaules s'alléger tandis que se relâchait l'étau d'angoisse qui l'empêchait de tendre la main pour attraper ce qui lui faisait envie.

Le rêve d'une vie avec Rachel paraissait tout à coup si séduisant qu'il faillit esquisser quelques pas de danse… Etait-il réalisable ? Avaient-ils l'un et l'autre les moyens de réussir ?

— Parler avec ma fille… Cela ne m'a pas trop réussi, jusqu'à présent.

— Essayez encore. C'est la seule chose qui soit en votre pouvoir.

Alors, il était peut-être temps de changer de tactique. Les simulacres — son obstination à prétendre que tout allait bien et que la solitude ne lui pesait pas — ne l'avaient mené nulle part.

Il fallait ouvrir une nouvelle voie.

— Je dois rentrer, dit-il en se levant précipitamment. Navré de vous avoir dérangée…

— Vous avez de la chance que je ne vous aie pas entraîné dehors pour vous donner une bonne correction !

Décidément, la vigueur de ce petit brin de femme forçait le respect.

— Vous auriez gagné à tous les coups ! dit-il en souriant.

Olivia éclata de rire et Mac, libéré, déconnecté de ses responsabilités écrasantes, la prit carrément dans ses bras.

— Merci, chuchota-t-il.

— Je n'ai fait que mon boulot, lui renvoya Olivia sur le même ton. A présent, déguerpissez ou j'appelle la Sécurité !

Là-dessus, elle alla reprendre son poste derrière le bureau, retrouvant ses airs de chef.

— Je comprends maintenant pourquoi Rachel a si peur de vous, Olivia !

Il eut le temps de la voir sourire, avant de quitter la pièce en coup de vent, fort de la certitude qu'il avait droit au bonheur.

Le pick-up était à peine arrêté que George McCormick se porta à sa rencontre, indifférent au vent qui agitait les pans d'une de ses extravagantes chemises hawaïennes.

En voyant son beau-père, Mac redescendit brutalement de son petit nuage.

— Qu'est-ce qui ne va pas ? cria-t-il en rejoignant son beau-père au pas de course.

— Rien ! Rien du tout. Ta fille va bien.

Seulement… Elle se comporte d'une manière assez bizarre depuis qu'elle est arrivée.

— Bizarre ? répéta Mac en suivant George vers la maison.

— Elle a ressorti toutes les photos de Margaret. Je te promets, c'était son idée. Elle est allée fouiller le grenier et elle a déniché un carton rempli de trucs qu'on avait complètement oubliés, Cindy et moi.

A ces mots, l'espoir ténu qu'il avait nourri sur le trajet de retour se désintégra.

— Qu'est-ce qu'elle en a fait ?

— Elle est en train de passer les photos en revue. Et elle nous pose sans arrêt des questions…

George secoua la tête.

— Cindy est avec elle, mais crois-moi, Amanda a l'air d'une possédée.

— Elle a vécu une rude journée, hier, avança Mac, qui sentait revenir sur ses épaules le poids honni du passé.

— Oui, elle nous a un peu expliqué, confirma son beau-père. Elle nous a dit que Rachel Filmore avait dormi à la villa.

Mac s'immobilisa et pressa les pouces contre ses arcades sourcilières douloureuses. Parmi la série d'événements de la veille, c'était *celui-là* qu'Amanda avait choisi de raconter ?

— Mac ? Tu te sens bien ?

— Je te répondrai tout à l'heure…

— Elle est dans le bureau, expliqua George en pénétrant à sa suite dans la maison.

— Très bien.

La pièce chaleureuse, égayée d'étagères garnies de livres, lui était d'autant plus familière que c'était là qu'il était venu donner un cours à Margaret, treize ans plus tôt…

Il s'était présenté chez elle armé d'une pile de livres et de cahiers, avec au cœur la volonté farouche d'éveiller la jalousie de Rachel. Margaret n'avait pas montré le plus petit intérêt pour la biologie moléculaire. Après avoir fermé à clé la porte de ce bureau, sa camarade l'avait initié sans préambule aux joies de la fellation. Par la suite, et pendant des semaines, il n'avait pas osé croiser le regard de Rachel car ce soir-là, au moment de se laisser aller, c'étaient les lèvres de son amie d'enfance qu'il avait imaginées sur lui.

« Tu ne seras jamais libéré de nous », susurrèrent dans sa tête les fantômes de ces deux filles et du garçon qu'il avait été.

Amanda était assise telle une île blonde et rose au milieu d'une mer de vieilles poupées, de rubans de gymnastique et de photos de classe.

— Bonsoir, Mac ! lança Cindy, la voix enjouée mais le regard inquiet. Nous étions en train de dépoussiérer les affaires de Margaret…

— Je vois. Amanda ?

Sa fille leva vers lui un regard absent.

— Qu'est-ce que tu as trouvé de beau ?

Pour toute réponse, il eut droit au sempiternel haussement d'épaules. Il enjamba une pile d'albums photo et s'assit à côté d'elle.

Amanda s'écarta vivement.

— Tu as dîné ?

— Je n'ai pas faim.

Il croisa le regard larmoyant de sa belle-mère par-dessus la tête d'Amanda et sentit le chagrin l'envahir lui aussi.

— Je vais surveiller la cuisson du rôti, annonça Cindy avant de sortir.

— Et moi, enchaîna son mari, je vais préparer l'échiquier pour que ma petite-fille puisse me ridiculiser devant mon gendre !

George se retourna brièvement sur le seuil. Il espérait visiblement que sa petite-fille lui donne la réplique pour le taquiner, comme elle l'avait fait l'autre jour… Mais Amanda se contenta de tourner une page de l'album.

— Amanda ?

— Quoi ? aboya-t-elle en tournant une autre page.

— Qu'est-ce que tu regardes, là ?

Sans un mot, elle poussa l'album du côté de Mac afin qu'il puisse jeter un coup d'œil.

Sur la photo collée dans le coin, Margaret, les

cheveux ornés de fleurs roses — délicates, adorables — glissait un morceau de pièce montée dans la bouche de son époux.

— Elle était mignonne ce jour-là, non ?

Pas de réponse. Puis Mac prit son courage à deux mains.

— Amanda, s'il te plaît, regarde-moi. Je veux qu'on parle.

Sa fille se tourna à peine.

— Tu sais que je t'aime, n'est-ce pas ?

— Bien sûr.

— Et je pense que, la plupart du temps, toi aussi, tu m'aimes.

Il se pencha pour voir si elle réagissait. Il en fut pour ses frais.

— Eh bien, tout est là. Nous sommes tout ce qu'il reste de la famille Edwards, il nous faut donc nous respecter l'un l'autre. Nous devons être gentils l'un pour l'autre. Tu vois où je veux en venir ?

— Je suis désolée de t'avoir mal répondu aujourd'hui, marmonna Amanda.

— Merci. Et maintenant, pourrait-on savoir pourquoi tu es en colère ?

Elle baissa la tête sur l'album et tourna encore une page.

Puisant dans ses réserves de patience, Mac reprit :

— Est-ce que cela concerne maman ?

Il attendit qu'elle se mette à hurler le traditionnel : « Toujours maman ! Elle n'a rien à voir avec ça ! » Mais rien de tel ne vint.

— C'est pour ça que tu as ressorti ses affaires ?

Silence. Mac n'entendait que son propre cœur qui battait la chamade.

— Alors, veux-tu que nous parlions de Rachel ?

A ce nom, Amanda releva les yeux. Mac retint son souffle. Enfin, peut-être, une explication ?

Mais elle le regarda sans rien dire.

— Eh bien, reprit-il d'une voix mal assurée, moi, j'aimerais te parler de Rachel. Je sais que tu...

— Est-ce que tu aimais vraiment maman ? lui demanda sa fille à brûle-pourpoint.

— Je...

— Est-ce que tu l'aimais vraiment ? Je sais qu'elle était enceinte de moi au moment du mariage, vous n'aviez pas vraiment le choix...

— Amanda...

Il lui saisit l'épaule, mais relâcha aussitôt sa prise, de peur de lui faire mal.

— J'ai voulu épouser ta mère parce que je l'aimais et que nous t'aimions déjà. Nous n'avions pas prévu ta venue, mais tu es la meilleure chose qui nous soit arrivée.

C'était pour l'essentiel un pieux mensonge, proféré mille fois, mais quel mal pouvait-il y avoir à cela ? S'il ne vouait pas à Margaret un amour authentique, il avait appris à la chérir, avant que des tromperies et des infidélités ne viennent tout gâcher. Sa fille, en revanche, il l'avait aimée dès la seconde où Margaret était venue lui annoncer sa grossesse.

Amanda s'esclaffa d'un air sceptique.

— Tu ne me crois pas, Amanda ?

— Tu voulais peut-être de moi, mais elle… Je suis persuadée qu'elle se serait bien passée d'un bébé.

— Tu dis cela à cause de ce fameux jour où elle a tout plaqué ?

Comme elle ne répondait pas, Mac insista :

— C'est moi qu'elle a plaqué. Cela n'avait rien à voir avec toi. C'était une affaire entre ta mère et moi.

Sa voix s'étrangla.

— Tu es toute ma vie, Amanda.

— Tu crois que maman t'aimait ? demanda-t-elle, impavide.

Mac sentit un frisson glacé lui parcourir l'échine, ce qui ne l'empêcha pas de hocher la tête.

— Oui. Simplement, je crois que la vie de couple s'est révélée moins facile qu'elle ne l'imaginait.

Dire qu'il avait prévu d'arrêter de faire semblant, d'essayer autre chose… Mais les doutes de sa fille le terrifiaient, et le courage lui manquait ce soir pour jeter le masque.

— Regarde-nous, dit-il en désignant la photo de leur couple devant la pièce montée. On peut presque l'entendre rire, ta maman !

— Je ne me rappelle plus son rire.

— Eh bien, il était très agréable…

Amanda sourit. Mac ferma les yeux, remerciant le ciel.

— Qu'est-ce que tu voulais me dire sur Rachel ? s'enquit-elle en refermant l'album.

Mac se sentit faiblir. Il n'en fut pas fier, mais il pensa à Amanda. A sa famille.

Il aida sa fille à ranger les vestiges éparpillés, aux effluves rances, de l'enfance de son épouse.

— Rien, répondit-il. Rien du tout.

Chapitre 16

Rachel s'immobilisa dans le couloir sombre.

La dernière fois qu'elle avait vu sa chambre d'enfant, les murs étaient couverts de posters de John Cusak et, sur les conseils de Mac, de quelques photos des Nine Inch Nails en concert, découpées dans des magazines.

John Cusak... Ce comédien lui avait toujours fait penser à Mac, non pas physiquement, mais par sa façon d'*être*, tout simplement. Un homme enfant au regard vif, dégageant un mélange fascinant de timidité et d'audace...

Elle appuya le front contre la porte.

— Rachel ?

Sa mère surgit derrière elle. A contre-jour, dans la lumière jaune provenant de la cuisine et les volutes de sa cigarette, elle évoquait un personnage de film noir.

— Désolée, je ne voulais pas te déranger...

— Tu ne me déranges pas, dit Rachel en posant

la main sur la poignée, mais sans se décider à aller plus loin. Je voulais juste voir si mes posters étaient toujours là.

— C'est que… Ton frère a repris ta chambre quelques années après ton départ. On a rempli un carton de vieilleries, il doit être quelque part dans le secteur.

Là-dessus, sa mère tourna les talons et regagna la cuisine.

Elle s'était donc joué un mélodrame ridicule en hésitant à pousser cette porte. Sans plus hésiter, elle entra dans la chambre, alluma la lumière et se mit à rire.

Les posters de Cusak avaient cédé la place à des images d'hélicoptères, de voitures et de mannequins en maillot du *Sports Illustrated*. Une vraie chambre de garçon ! Et tellement à l'image de son frère…

La pièce était plus petite que dans son souvenir, elle tenait plutôt du placard surdimensionné. Un pas suffit à Rachel pour se retrouver au centre.

— J'ai trouvé tes affaires, elles étaient dans l'ancienne chambre de Jesse, si c'est ce que tu cherches.

Eve pénétra dans la pièce à son tour, et tout de suite l'espace vint à manquer. Rachel s'assit dans l'unique fauteuil pour faire de la place et effleura un canif abandonné sur le bureau.

— Où est Jesse ? demanda-t-elle.

Les ressorts du vieux sommier grincèrent lorsque sa mère s'assit sur le lit.

— Irak, répondit celle-ci.

Une bouffée d'angoisse envahit Rachel.

— Est-ce que… est-ce qu'il va bien ?

— Aux dernières nouvelles, oui.

— Tu en as souvent, des nouvelles ?

— Une fois par semaine.

Rachel baissa la tête pour dissimuler ses larmes.

— C'est bien, soupira-t-elle.

— Il était fou de rage après ton départ, tu sais.

— Il paraît, dit Rachel en s'essuyant les joues.

Décidément, ça n'arrêtait pas depuis ce matin. Comme un robinet gouttant sans discontinuer.

— Ton frère n'a répondu à aucune de tes lettres. Je lui ai demandé s'il en recevait encore à l'armée, il m'a dit qu'il t'avait demandé d'arrêter.

Rachel confirma d'un geste. Quelle absurdité, que Jesse écrive chaque semaine à sa mère et jamais à sa sœur ! Le blâme tombait sur celle qui avait fui l'enfer, et non sur la première responsable de cet enfer…

— Il fait du bon boulot à l'armée. Il est devenu *ranger.*

— Ça m'a l'air surtout dangereux, non ? murmura Rachel.

Eve haussa les épaules.

— Forcément… J'ai préparé du thé glacé et des sandwichs, si tu veux, dit-elle en se levant. Ce n'est pas grand-chose, mais tu n'as rien avalé de la journée.

Brusquement, le pardon accordé tout à l'heure ne suffit plus à Rachel. Au cours des quelques heures passées en compagnie de sa mère, des questions flottaient déjà dans un coin de sa tête. Maintenant, dans cette chambre hantée de mauvais souvenirs où l'absence de son frère créait un vide douloureux, elle éprouvait le besoin impérieux d'obtenir des réponses.

— Pourquoi tu es restée ? demanda-t-elle, redevenant la jeune fille de dix-sept ans jetée hors de son foyer.

— J'ai terminé de payer les traites et…

— Non, pas aujourd'hui. A l'époque. Pourquoi es-tu restée avec lui ?

Les ressorts geignirent une nouvelle fois. Eve tira une cigarette du paquet rangé dans la poche de sa chemise.

— Difficile à dire, répondit-elle une fois à l'abri derrière l'écran de la fumée.

Rachel secoua la tête.

— Je ne vais pas me contenter de cette réponse, maman. Il te battait. Il nous battait, nous, tes enfants…

— D'accord, coupa Eve. Alors dis-moi, toi, ce

que j'aurais dû faire ! Sans diplôme, sans un sou de côté ! Ma famille vivait dans l'Est, à l'autre bout des Etats-Unis. Je n'avais que lui. Il rapportait de l'argent. Il buvait, et alors ? Il s'énervait pour un rien, et alors ? Il y a des choses plus graves dans la vie. Je ne me voyais pas fuir avec mes deux petits pour subsister avec un simple salaire de serveuse, au risque de tomber dans un autre genre de galère…

Les images envahirent la petite chambre comme une graisse carbonisée, épaisse, huileuse, suffocante.

— Tu étais une gamine futée, depuis toujours. Bien plus futée que ton père et moi réunis. Tu avais des milliers de possibilités. Moi je n'en avais qu'une. J'ai fait au mieux.

— Tu n'avais donc pas envie de plus ?

— Pour moi ?

Eve souffla une nuage de fumée vers le plafond.

— Pour toi et Jesse, oui, sûr. Je pense avoir réussi de ce côté-là.

Rachel ne put contenir un rire moqueur.

— Qu'est-ce que tu as fait, au juste, maman ? Je suis partie parce que papa m'a fichue à la porte !

— Papa ne t'a pas fichue à la porte.

— Quoi ?

— D'accord, il a eu des mots assez méchants

pour que tu croies ça… Mais c'est *moi* qui ai fait en sorte de te sortir de cette ville.

— Et comment ?

— Quand on chuchote des choses à l'oreille d'un gars qui tient une bouteille à la main, il s'imagine assez vite que c'est sa propre idée.

— Mais pourquoi ?

Eve plongea la main dans sa poche et en retira deux photographies. Elle souffla dessus pour ôter des cendres et les tendit à Rachel, qui les prit d'une main tremblante.

— J'avais bien vu ce qui se passait entre toi et le jeune Edwards.

— Mac ? Qu'est-ce qu'il a à voir là-dedans ?

Sur les clichés, des gens souriaient. Mais cela n'avait aucun sens pour le moment. Rachel était suspendue aux lèvres de sa mère.

— Tu étais si intelligente… Je n'allais pas te laisser gâcher tes chances pour un gamin qui ne quitterait jamais New Springs. Il fallait que tu ailles à l'université. Que tu gagnes de l'argent. Que tu fasses tout ce que l'argent permet de faire…

Rachel se leva avec lenteur.

— Tu m'as mise à la porte de chez moi, tu as saccagé mes relations avec mon frère et avec Mac… Tout ça parce que tu voulais que je gagne de l'argent ?

— Je voulais que tu aies le choix.

— Tu ne crois pas que j'aurais pu y arriver par moi-même ?

Eve se dressa à son tour, droite comme un i avec ses certitudes en bandoulière.

— Non. Tu serais restée. Tu aurais tout sacrifié pour vivre avec Mac.

— Et alors ? Ce choix, c'est moi qui l'aurais fait, au moins !

Oui, elle serait restée. C'était certain. Les images d'une vie entièrement différente défilèrent dans son esprit. Elle et Mac, dans la villa de la montagne, entourés de leurs enfants. Des vacances en famille, des blagues nulles, des couchers de soleil sur la terrasse…

Elle eut beau se mordre la lèvre et fermer les yeux, les images de cette vie avortée persistèrent.

— Peut-être, mais, à ce moment-là de ta vie, c'était le mauvais choix, répliqua Eve d'un ton implacable, avant de sortir.

Rachel demeura un moment parfaitement immobile.

Elle n'avait plus envie de ressasser tout ça, le passé, l'avenir, la vie qu'elle aurait pu connaître — qu'elle pourrait connaître demain, pour peu qu'elle s'en donne les moyens avec Mac… Pour l'heure, elle avait surtout grand besoin de se vider la tête.

Or, dans cette ville, un seul endroit lui apporterait à coup sûr la paix à laquelle tout son être aspirait.

Elle quitta enfin la chambre, enfila le couloir jusqu'au salon où pas un meuble n'avait changé depuis ses douze ans, attrapa ses clés et son sac, dans lequel elle glissa les photos qu'elle tenait toujours à la main.

— Rachel ? Tu reviendras ?

— Je ne sais pas ! cria-t-elle par-dessus son épaule.

Après avoir garé la voiture derrière Ace Hardware, à la sortie de la ville, Rachel prit la torche halogène qu'elle gardait en permanence dans le coffre, mais ne l'alluma pas tout de suite. Mieux valait attendre pour cela d'être totalement à couvert.

Elle enjamba sans hésiter la clôture métallique branlante installée par M. Shoemaker l'été où elle et Mac attaquaient leur deuxième année de lycée. Ses talons dérapaient sur le gravier, mais c'est à peine si elle ralentit le pas. Il lui fallait se détendre à tout prix et recouvrer un semblant de paix.

Après une brève montée très escarpée, le chemin semblait s'interrompre au beau milieu d'un bosquet. Rachel alluma alors sa torche et, courbée en deux pour éviter les branches basses, se faufila entre les rosiers sauvages qui s'accrochaient à ses vêtements.

Le chemin virait sur la gauche, de plus en plus étroit et envahi d'herbes folles. Le rayon lumineux de la torche semblait réveiller une armée d'ombres qui dansaient autour d'elle comme pour la narguer. La jeune femme pressa le pas. Peu de gamins avaient la patience de marcher aussi loin qu'elle et Mac, à l'époque. La plupart s'accommodaient de panoramas médiocres et de précipices tout aussi moyens…

Enfin, après avoir escaladé une vieille souche, elle dénicha sur sa gauche le sentier familier. La pente était forte et la terre meuble, sous les paquets de feuilles mortes. Elle se sentit soudain glisser et se rattrapa de justesse à un églantier.

Encore quelques pas, et elle déboucha sur une dalle de granit surplombant la carrière.

Silence.

On n'entendait que le vent s'engouffrant dans l'abîme. Le dos calé contre un énorme rocher, elle laissa tomber à ses pieds la torche et le sac. Le cadre blanc d'une photo dépassait de la poche intérieure. Une nouvelle fois, elle l'ignora.

Elle n'avait pas envie de regarder ces photos. Elle n'avait pas envie de se souvenir. Elle n'avait pas envie de se morfondre sur la vie triste et solitaire qu'elle avait menée grâce à sa mère…

Avec un soupir, elle tira ses cheveux en arrière

et offrit son visage au vent. « Sois honnête avec toi-même, pour une fois, Rachel... » Elle avait été la première à repousser les autres ! A se convaincre qu'elle était plus heureuse seule, sans famille, sans amour. Sans Mac.

— Quelle imbécile, murmura-t-elle en se laissant glisser jusqu'à terre.

Elle grimaça au contact des pierres et en ôta quelques-unes de sous ses reins, puis s'allongea.

— Dire qu'on a fait l'amour ici...

Ce soir-là, dans l'exaltation du moment, elle n'avait prêté aucune attention à l'inconfort du terrain. Dans les bras de Mac, elle n'avait remarqué ni ces milliers de cailloux sous ses épaules, ni les insectes festoyant à côté de sa peau nue.

— Qui a fait l'amour ici ?

Rachel poussa un cri et se retourna. La voix provenait de sa droite, c'est-à-dire la direction opposée à celle par où elle était venue.

— Amanda ? lança-t-elle, incrédule.

La silhouette gracile se détacha des fourrés pour entrer dans le faisceau de la torche.

— Salut, Rachel, dit-elle en levant faiblement la main.

— Qu'est-ce que tu fabriques ici ?

Il devait être plus de 22 heures et Amanda était venue jusqu'à cette carrière abandonnée sans même une lampe avec elle. Jamais Mac ne l'y aurait autorisée.

L'adolescente haussa les épaules et tripota le rameau qu'elle tenait à la main.

— Je retrouve parfois Christie, dans ce coin.

— Est-ce que ton père sait où tu es ?

— Non, répondit-elle avec une moue de mépris.

— Et... tu es là depuis quand ?

— Quelques heures.

Elle ramassa un caillou et le lança dans le vide. Soit trois cents mètres au moins plus bas, calcula Rachel. Et maintenant, elle s'amusait à s'approcher du bord...

Rachel s'alarma.

— Où est Christie ?

— Elle est rentrée chez elle. Elle a dit qu'elle ne m'adresserait plus jamais la parole.

Le masque bravache se fendilla soudain et Rachel entendit les larmes dans la voix d'Amanda.

— A quoi ça sert de faire ce qui est juste, si ça vous enfonce encore plus ?

Rachel esquissa un sourire contraint.

— Je crois que c'est justement pour répondre à cette question que je suis venue ici.

Amanda se retourna. Prise dans le faisceau de la lampe, une moitié de son visage se découpait dans la lumière, fantomatique et aussi blanc que le granit de la carrière.

— Pourquoi tu es partie, aujourd'hui ? Quand je suis rentrée du collège ce soir, tu n'étais plus là.

— Je ne pouvais pas rester chez vous éternellement…

— Moi, j'aimerais bien rester dehors éternellement, grommela la petite. Si seulement je pouvais ne jamais rentrer !

Elle leva les bras, tel un oiseau s'apprêtant à prendre son envol. Rachel bondit pour l'attraper à bras-le-corps.

— Amanda ! Attention !

Sans la lâcher, elle l'obligea à se retourner. La petite avait les yeux secs, mais débordant d'une tristesse à vous fendre le cœur.

— Qu'est-ce qui s'est passé ? insista-t-elle.

— Pourquoi c'est toujours pareil ?

En plus d'être raide comme un bout de bois, Amanda tremblait de la tête aux pieds. C'était pire que la veille. Une tension incroyable l'habitait.

Rachel fixa résolument ses yeux, priant pour qu'elle plie avant de rompre.

— Qu'est-ce qui est toujours pareil ?

La petite secoua la tête. Ses bras furent pris de violents frissons.

— J'ai cru que tout irait mieux ! Et quand je

suis rentrée, personne ! Pourquoi il a fallu que tu partes ?

— Amanda, je ne peux pas…

— C'est lui qui t'a fait partir, hein ? C'est lui qui t'a fichue dehors !

Rachel avait une peur bleue de lâcher prise. La petite n'aspirait qu'à se faire du mal et, d'une seconde à l'autre, la scène pouvait virer au drame.

— C'est à cause d'elle ! s'écria encore Amanda. Je la déteste !

A force de gesticuler violemment, Amanda finit par s'arracher aux bras de Rachel. Celle-ci voulut la rattraper, mais l'adolescente fit un bond en arrière. Des cailloux dégringolèrent avec fracas par-dessus bord dans le précipice derrière elle.

— Amanda, s'il te plaît, articula Rachel, pantelante, les yeux rivés à la trop mince bande de terre qui séparait encore Amanda du vide. Reviens vers moi et parlons-en ensemble.

— J'ai cru que tout allait s'arranger. Tu as dormi chez nous. Papa semblait si heureux… Au Mamacita's, il riait !

Rachel ne perçut qu'un mot sur trois, obnubilée par le risque énorme que courait Amanda, bien trop proche du bord.

— Il était heureux parce que tu étais heureuse, dit-elle très vite. Il ne veut que ton bien.

— Alors, pourquoi il t'a demandé de partir ce matin ?

— S'il te plaît, avance vers moi, Amanda. Allons le voir, si tu veux, et nous en parlerons ensemble.

— C'est déjà fait. Il a dit qu'il l'aimait.

— Qui ça ?

— Ma mère.

— Mais… c'est plutôt bien, non ? Savoir que ses parents se sont…

— Elle ne l'a jamais aimé ! hurla Amanda. Elle partait pour de bon, ce soir-là ! Elle le quittait… Elle nous quittait tous les deux !

Ses genoux cédèrent. Rachel se précipita pour la soutenir, mais Amanda la repoussa.

— De quoi parles-tu, chérie ? De l'accident ?

Amanda ferma les yeux.

— C'est un secret.

— Au diable ces secrets. Assez ! Terminé ! Fini !

Silence.

Un oiseau criailla dans le lointain. Des feuilles voletèrent, soulevées par le vent.

— Elle quittait papa, répéta Amanda.

Et le barrage céda.

Rachel parvint enfin à s'intercaler entre le vide et la petite, qu'elle entraîna fermement hors de danger. Les mots déferlèrent si vite, que Rachel dut tendre l'oreille.

— Elle voulait m'emmener avec elle et quitter

papa. Je voulais pas. Elle était si méchante avec papa, et je détestais son amant. Je le détestais, alors je…

Sa voix s'étrangla.

Ebranlée, Rachel tenta de comprendre. Margaret avait un amant ? Mac… Oh ! Pauvre Mac…

— Tout va bien maintenant, Amanda. Tu es en sécurité, tu peux parler tranquillement…

— J'ai attrapé son bras, Rachel. J'ai attrapé son bras et elle a donné un coup de volant et c'est là qu'on a embouti l'arbre…

— Tu n'était pas assise à l'arrière ?

Amanda secoua la tête.

— Mais je portais ma ceinture de sécurité. Pas maman. Je l'ai tuée…

— Non ! s'écria Rachel en la serrant dans ses bras. C'était un accident !

— Je voulais pas partir avec elle. Je la détestais. Je voulais rester avec mon papa, gémit la petite, la tête enfouie dans son cou, agrippée à sa taille.

— Bien sûr, je comprends, ma puce…

— Il veut tout le temps qu'on parle de l'accident, mais… Je peux pas lui raconter ! hoqueta Amanda. Il dit qu'il aimait maman… Il va souffrir à cause de moi…

— Rien ne le rendra plus heureux que de connaître la vérité. Ce sera peut-être un moment difficile à passer mais, ensuite, tu te sentiras mieux.

— Avec toi, il est heureux, soupira Amanda.

A ces mots, le cœur de Rachel fit un bond dans sa poitrine. Si seulement ce pouvait être vrai !

— Je suis contente que tu le penses, dit-elle. Il me rend heureuse aussi.

Un long moment plus tard, quand Amanda se détacha d'elle, ses yeux étaient toujours secs, mais apaisés.

— Je dois tout dire à papa.

— Bonne idée. Je t'accompagne ?

Amanda acquiesça. Elles se dirigèrent ensemble vers le sentier.

— Il va être furieux, non ?

— Il ne sait pas où tu es, c'est bien ça ?

Rachel jeta un coup d'œil à sa montre.

— Alors, dit-elle, je dirais qu'il est d'ores et déjà hors de lui.

— Peut-être que s'il apprend la vérité sur maman, il… Vous deux, vous pourrez…

Rachel sourit. Même Amanda les encourageait !

— Il y a bien d'autres choses que ta mère entre nous.

— C'est nul qu'il t'ait demandé de partir. J'ai envie que tu restes.

— Merci, murmura Rachel.

Avec treize ans de retard, elle aussi avait très envie de rester.

Chapitre 17

La villa brillait comme un phare dans la nuit. Toutes les pièces étaient éclairées. Rachel arrêta la voiture et coupa le moteur.

— Il va me crier dessus, soupira Amanda.

Comme pour confirmer ses craintes, la porte d'entrée s'ouvrit à la volée. Mac s'encadra dans le rectangle de lumière vive. Rachel échangea un bref regard avec Amanda avant de descendre de voiture.

Main dans la main, elles s'avancèrent vers la villa.

— Où diable étais-tu passée ? rugit Mac.

— Papa…

— Mac…

— Deux heures que tu as disparu ! Je devenais fou ! J'ai prévenu Billy, la moitié de la ville est en train de fouiller la montagne et de quadriller les routes à ta recherche !

Il s'approcha, les cheveux en bataille.

— Tu m'as dit que tu faisais tes devoirs dans ta chambre !

— Papa…

— Mac…

— Tu es consignée à la maison pour le restant de tes jours ! C'est compris ? Tu vas tout de suite…

— Mac !

Il était dans un tel état que Rachel dut crier pour s'imposer.

— Calme-toi une seconde, tu veux ?

Subitement, le temps parut s'arrêter. Mac ne bougeait plus. Rachel comprit qu'il faisait un gros effort pour se maîtriser.

— Ta fille souhaite te parler.

Rachel tapota l'épaule d'Amanda et s'écarta d'un pas, mais l'adolescente lui agrippa la main.

— Ne pars pas !

Le regard d'avertissement de Rachel ne servit à rien. Amanda pressa plus fort sa main.

— Quelqu'un va finir par m'expliquer ce qui se passe, oui ou non ? Je suis au bord de la crise cardiaque, moi !

— D'accord, dit Rachel. Pendant que vous discutez tous les deux, je vous attendrai à l'intérieur. Tout va bien, glissa-t-elle à Mac avec un sourire en passant à côté de lui.

Elle faillit lui caresser le bras, plus pour elle-même

qu'autre chose, mais elle se contint, ne sachant comment ce geste serait perçu.

Une fois dans la villa, elle éteignit toutes les lampes et surveilla discrètement ce qui se passait dans le jardin.

Assis devant la vieille table, Mac et Amanda s'étreignirent à plusieurs reprises. Elle vit Mac s'essuyer les yeux et Amanda… Oui, Amanda riait !

Rachel hocha la tête et se détourna de la fenêtre avant de se mettre à pleurer. Tout se terminait bien pour eux…

Quant à elle, il lui fallait un projet. Puisqu'elle ne pourrait libérer son bureau à Santa Barbara avant lundi, elle n'avait qu'à rester à New Springs et en profiter pour discuter encore un peu avec sa mère, et peut-être regarder avec elle…

Les photos !

Rachel saisit son sac à main abandonné au hasard dans le salon et en sortit les deux photographies. Puis elle inspira longuement pour faire le plein de sérénité avant d'affronter elle ne savait trop quels fantômes du passé.

La première photo était un Polaroïd aux couleurs fanées représentant la famille Filmore au complet, aux temps les plus fastes. Rachel était une petite fille de sept ans, assise jambes croisées aux pieds de son père, avec un sourire d'une oreille à l'autre révélant deux incisives manquantes. Son père, dont le ventre ne témoignait pas encore de sa passion immodérée pour la bière, était allongé dans une chaise longue avec un bébé dans les bras, niché dans des couvertures. Debout derrière lui, les cheveux noirs de jais, Eve se penchait pour cueillir un baiser sur ses lèvres au-dessus de la tête de Jesse.

C'était un modèle de photo de famille — une famille que Rachel ne connaissait pas. Un moment heureux, depuis longtemps oublié, et fixé à jamais sur la pellicule. Elle passa le pouce sur ce carré de papier qui avait gardé à la mémoire le baiser de ses parents.

Cela renforça sa résolution de consacrer ce week-end à sa mère. Elle se promit de compenser de son mieux ces années de négligence. Lundi, à la première heure, elle irait trouver Olivia et débarrasser son bureau.

Ensuite…

Rachel soupira et leva les yeux au plafond. Bien sûr, les belles poutres de bois ne livrèrent pas la réponse espérée. Après tout, les postes de conseillère sociale ne manquaient pas dans le pays. Mais peut-être se mettrait-elle en quête d'un travail qui demande moins de détachement. Il lui fallait une mission dans laquelle s'investir corps et âme. Avec un peu de chance, Olivia l'aiderait à trouver des idées, au nom de leur amitié.

Rachel examina alors la seconde photographie,

et le rire qui lui vint se transforma vite en sanglot. Elle porta les doigts à ses lèvres, laissant enfin couler les larmes qu'elle s'était évertuée à refouler toute la journée.

Ils s'étaient rendus ensemble au bal de dernière année. Une mauvaise idée, sans doute, mais dont ils n'avaient pas dévié. Mac s'était procuré un smoking grâce au salaire gagné au Park District, tandis qu'elle-même portait une robe rouge bon marché de chez Sears dont elle avait arraché tous les volants pour supporter de sortir avec.

La photo avait été prise sur le perron des Filmore. Mac et elle se sentaient l'un et l'autre si gauches et engoncés dans ces stupides traditions, petit bouquet, ceinture de smoking… On aurait juré deux étrangers plutôt que les meilleurs amis du monde.

Jusqu'au moment où Mac avait sorti de son étui plastique le minuscule bouquet d'œillets blancs monté sur élastique pour se le caler… sur la tête. Elle, en représailles, avait chipé la fleur qui ornait sa boutonnière et l'avait épinglée sur sa robe. Ils avaient ri si fort, que l'élastique du bouquet avait craqué. Mac l'avait pris en plein dans l'œil et une pluie de pétales blancs s'était déversée sur eux.

Et donc, sur la photo, Mac, couvert de fleurs, avait la main pressée sur son œil et la bouche grande ouverte de stupeur. Elle, hilare, s'accrochait à sa veste chic comme si elle ne devait jamais la lâcher, sa vie dût-elle en dépendre.

— Je n'aurais jamais dû te lâcher, murmura-t-elle.

Elle resterait à New Springs le temps qu'il faudrait. Elle se mettrait sur sa route, elle lui montrerait qu'elle était prête à rester. A être à lui. A former une famille.

Son avenir devait inclure Mac et Amanda. Elle se battrait pour cela, bec et ongles, aidée par une alliée en or : Amanda.

La porte d'entrée grinça. Mac et sa fille descendirent la volée de marches jusqu'à la cuisine tels deux voyageurs éreintés.

— Salut ! dit-elle.

Un sourire hésitant étira les lèvres de Mac.

— Personne ne gardera le moindre secret jusqu'à la mort. Compris ? dit-il en coulant un regard d'avertissement vers sa fille, qui acquiesça.

— Compris, papa.

Il l'attira contre lui et l'embrassa sur le crâne. Puis il ne bougea plus, les yeux clos, les lèvres pressées contre les cheveux blonds.

— Une petite faim ? souffla-t-il.

— Une grosse…

Il se tourna vers la cuisinière.

Des larmes dévalaient ses joues. Il se mordit la

lèvre et Rachel, le cœur tout aussi en vrac, le regarda batailler pour recouvrer son sang-froid.

— Trois sandwichs spécial Mac Edwards fromage grillé-sauce piment en commande ! lança-t-il d'une voix de stentor.

— Rach, pourquoi tu pleures ? demanda soudain Amanda.

Mac se retourna. Rachel rougit de se sentir observée.

— Je me souviens des sandwichs de ton papa et ça suffirait à faire pleurer n'importe qui ! répliqua-t-elle.

Elle remit dans son sac la photo de sa famille, mais fit glisser vers Mac sur le comptoir celle qui les représentait tous les deux.

Elle fut incapable de le regarder plus longtemps. C'était si douloureux. Il était trop beau, trop aimé et encore trop loin de sa portée. Dès demain, elle entrerait en campagne pour conquérir son cœur, mais ce soir, il lui était intolérable d'être traitée en amie alors qu'elle désirait tellement davantage.

— Je suis si fière de toi, Amanda, dit-elle, prenant en coupe le petit visage entre ses mains et souriant à ses prunelles bleues craquantes. Te rencontrer m'a beaucoup inspirée.

— C'est vrai ?

Rachel acquiesça, aussi émue que l'adolescente.

— Chérie, on va se promettre une chose, toi et moi…

— Laquelle ?

— Désormais, on se battra pour ce qu'on désire. Sans avoir peur, sans se sentir responsables de tout. En étant juste responsables de nous-mêmes. Et nous irons le chercher, ce bonheur. Il ne dépendra plus que de nous.

Les yeux d'Amanda s'emplirent de larmes.

— Compris, murmura-t-elle.

Rachel l'étreignit avec force, tout en rendant grâces au ciel d'avoir amené cette enfant dans sa vie au moment où elle en avait le plus besoin.

— Je t'aime, Amanda. Je t'aime du fond du cœur.

Elle lui décocha un dernier sourire et osa enfin jeter un regard à Mac qui assistait pétrifié à la scène, une poêle dans une main, la photo dans l'autre. On aurait juré qu'il venait d'être le témoin d'un attentat terroriste.

— Où vas-tu ? demanda-t-il d'une voix si forte qu'elle sembla déchirer le silence.

Rachel sourit et sentit un goût salé sur ses lèvres.

— Chez ma mère. J'ai encore quelques détails à régler.

— Quand est-ce que… ? Que…

— Tu me reverras, dit-elle. A dater d'aujourd'hui, je me bats pour ce que je désire, Mac.

Se battre pour ce qu'on désire.

Je me bats pour ce que je désire.

Les mots résonnèrent dans la tête de Mac, dans sa gorge, sa poitrine… A chaque battement de son cœur, il entendait : *Rachel. Désir. Rachel. Désir.*

— Attends ! cria-t-il avant de comprendre ce qu'il faisait.

Rachel fit volte-face, ses beaux yeux verts remplis de larmes et d'angoisse.

— Que tout le monde attende une foutue seconde !

— Papa ! gronda Amanda.

— Oui, ma fille, je dis des gros mots. Souvent. Et tu ne m'entendras plus jamais prétendre le contraire.

— Cool !

Amanda se glissa sur un tabouret pour couver son père d'un regard fasciné.

Lui qui croyait avoir été le plus honnête des hommes avec elle… Lui qui croyait bien faire en s'évertuant à lui renvoyer une image parfaite de sa vie…

— J'ai tout faux, dit-il. Depuis le début. Je me suis trompé de A à Z.

— Je ferais mieux de partir, murmura Rachel en se détournant, tandis qu'Amanda ouvrait des yeux ronds comme des soucoupes.

En la voyant s'éloigner, Mac eut parfaitement conscience que c'était son avenir, son bonheur, qui lui filaient entre les doigts.

— Attends ! Assieds-toi une seconde.

Il savait qu'elle avait envie de s'échapper pour pleurer à son aise, sans témoin. Mais il la voulait ainsi, aussi vulnérable que lui, parce qu'ils devaient clarifier des choses, tous les deux.

— S'il te plaît, assieds-toi, pria-t-il un ton plus bas.

Rachel s'effondra sur les marches, les lèvres pincées en une ligne obstinée.

— Tu es belle, murmura Mac.

Elle ferma les yeux. Les larmes continuaient de couler sur ses joues. Elle n'esquissa pas un geste pour les essuyer.

— C'est moi qui devrais vous laisser.

Amanda était déjà debout.

— Assise ! commanda Mac.

Garder la main face aux deux femmes les plus incontrôlables de sa vie, quand lui-même se maîtrisait de justesse, relevait de la gageure.

Par miracle, sa fille obéit et s'assit en silence.

— Bien.

Mac hocha la tête, et s'aperçut à ce moment qu'il

tenait toujours une poêle à frire et une photo, qu'il s'empressa de poser sur le comptoir. Mais ses mains lui parurent soudain si vides, si inutiles, qu'il reprit machinalement la photo. Il se sentit tout de suite mieux.

— Comme tu le sais, Amanda, ta mère était enceinte quand nous nous sommes mariés. Les années suivantes, je pense sincèrement que nous avons réussi à être heureux ensemble. Nous t'aimions tellement, ta mère et moi. Je…

Mac baissa la tête, submergé par l'émotion.

— Papa, c'est bon, tu n'as pas besoin de dire tout ça…

— Si, il le faut. Tu avais environ sept ans quand ces temps heureux ont pris fin. J'ai essayé de réagir. Séances chez le psy, voyages, sorties…

Il déglutit et poursuivit :

— Mais peu à peu, il est devenu évident que Margaret n'éprouvait rien pour moi. Rien du tout. C'est à cette époque qu'elle a commencé à s'absenter et… à fréquenter d'autres hommes, acheva-t-il, énonçant ce qui était jusque-là trop humiliant même à formuler en pensée.

Il ne put se résoudre à regarder Rachel. C'était déjà pénible d'être exposé dans toute sa faiblesse… Cependant, il savait qu'il devait endurer ce supplice jusqu'au bout. Il entendait ses pleurs étouffés et mourait d'envie d'aller la réconforter. Il concentra néanmoins toute son attention sur Amanda, qui l'observait avec ses grands yeux de biche aux aguets.

— Je t'ai dit que nous étions amoureux parce que je pensais que c'était ce que tu avais envie d'entendre. Je croyais être honnête, alors que je mentais chaque jour !

— C'est bon, papa, répéta Amanda.

— Non, ce n'est pas bon. Au contraire. C'était précisément l'erreur à éviter.

Alors seulement, Mac se tourna vers Rachel. La jeune femme était en train de s'éponger les yeux avec l'ourlet de son T-shirt gris préféré. Il se remit à rire devant son air coupable…

C'était si facile, de rire avec elle. Et si agréable !

— Et j'ajoute que laisser Rachel repartir ce soir serait une erreur tout aussi grave.

Dans le salon, l'air se chargea subitement d'électricité au point de devenir irrespirable.

— Figure-toi que j'ai décidé de me battre pour ce que je désire, moi aussi, annonça-t-il, les yeux rivés à ceux de Rachel. Or c'est toi que je désire. Je t'aime, Rachel.

Sa grande déclaration était à peine achevée que Rachel se jeta dans ses bras.

Amanda se joignit à eux, les serra de toutes ses forces…

Mac prit un peu de recul pour regarder Rachel.

— Reste, chuchota-t-il.

— Pour toujours, répondit Rachel sans la moindre hésitation.

— Génial ! s'exclama Amanda. Sandwich spécial Mac Edwards fromage grillé-sauce piment pour toute la famille !

Rachel se mit à rire, et Mac s'émerveilla de voir cette joie se communiquer à sa fille, son cœur, son foyer tout entier.

PRÉLUD'

Le 1er novembre

Prélud' n°51

L'héritière du scandale - Brenda Novak

Mike Hill ne décolère pas depuis ce jour funeste où Red, une aventurière, s'est emparée de la splendide demeure dont il devait hériter. D'autant que, Red étant morte, il ne peut même pas lui racheter le manoir. Mais voilà que, contre toute attente, la fille de Red, Lucy, l'héritière du scandale, prend contact avec lui...

Prélud' n°52

Sur la route du passé - Darlene Gardner

Après une longue hospitalisation, Diana veut rassembler les morceaux épars de sa vie. Mais pour cela il lui faut d'abord révéler tous ses secrets – et notamment, avouer à Tyler, son ancien grand amour, qu'ils ont eu un enfant...

Prélud' n°53

Une étrangère à Heron Point - Cynthia Thomason

Une île de rêve au large de la Floride... voilà comment Elvire imaginait Heron Point, où elle vient de s'installer. Mais, dès qu'elle rencontre le séduisant et ombrageux Bill Muldoone, père de la petite Gemma, elle comprend qu'un drame intime s'y joue...

Prélud' n°54

Ce secret dans tes yeux - Victoria Pade

Ils sont violemment attirés l'un par l'autre. Pourtant, elle se réfugie obstinément dans sa froideur professionnelle. Quel douloureux secret l'empêche-t-il d'aimer ?

Prélud' n°55

Bonheur volé - Suzanne Cox

Dans le bayou de Louisiane, les mensonges et l'argent peuvent briser les cœurs et voler le bonheur. Cade et Bree en ont été les victimes, jadis. Au moment où le destin les rapproche de nouveau, sauront-ils lever les malentendus et saisir leur chance ?

— Le 1er novembre —

Noces noires - Metsy Hingle • N°304

Six ans se sont écoulés depuis le jour fatal de la mort d'Emily Le Blanc, étranglée à l'aide d'un bas de soie noir. Et son meurtrier n'a jamais été retrouvé. Charlotte Le Blanc, jeune inspecteur de police, n'a qu'une idée en tête : arrêter l'assassin de sa sœur adorée.
Or un nouveau meurtre vient d'être commis, selon le même mode opératoire. Cette fois, la victime est une très belle jeune femme, à la veille de ses noces avec un homme d'affaires. Pour mettre la main sur le tueur, Charlotte doit trouver quel lien fatal unit les deux victimes...

Au cœur de l'ouragan - Karen Harper • N°305

Plus que quelques heures.... Julie Minton, thérapeute en Floride, n'a plus que quelques heures pour retrouver sa fille Randi. Car celle-ci a mystérieusement disparu lors d'une promenade en mer avec son petit ami – alors même qu'un violent ouragan se rapproche dangereusement des côtes de la Floride... Comment lancer des recherches quand tout le monde ne songe qu'à fuir ? Il reste si peu de temps à Julie, si peu de temps pour retrouver Randi... et pour échapper elle-même à la mort.

La perle de sang - Cameron Cruise • N°306

Une voyante vietnamienne vient d'être poignardée à Westminster, Californie. A la place de ses yeux, deux orbites vides. Et dans sa bouche, une étrange perle appelée l'œil d'Athéna, volée par des pilleurs de tombes, et connue pour délivrer le don de double vue... Gia Moon, elle aussi medium, sait qu'elle court désormais un grand danger – car elle seule est capable de retrouver ce tueur avide de pouvoirs occultes et de sacrifices ...

Pendant que la ville dort - Helen R. Myers • N°307

Par une violente nuit d'orage, Campbell Cody, chargée de la sécurité d'une luxueuse propriété, voit la Pontiac blanche de Maida, l'une des résidentes, manquer l'écraser avant de s'enfuir à vive allure. Or Maida est une respectable vieille dame dont rien n'explique cette course affolée dans la nuit. Le lendemain, lorsque le véhicule est retrouvé au fond d'un fossé, Campbell sait qu'elle va devoir remonter la piste de cette nuit criminelle. Car Maida n'a pas été victime d'un accident, mais d'un meurtre...

La fortune des Stanton - Karen Young • N°308

Elizabeth Stanton, belle héritière de 29 ans, est ruinée. Pour sauver le domaine de Mimosa Landing, dans sa famille depuis le XIXe siècle, elle se résout à faire un mariage d'argent avec un riche homme d'affaires : Max Riordan.

Mais une fois leur union célébrée, Elizabeth est victime d'accidents et d'agressions qui ressemblent fort à des tentatives de meurtres... Qui peut bien être derrière tout cela ? Et si c'était une terrible méprise ? Elizabeth ne se connaît en effet aucun ennemi...

Le secret du Nil - Shannon Drake • N°309

Quand on lui propose de venir travailler au Caire, Katherine est ravie. L'Egypte... La Vallée des rois, Toutankhamon, Néfertiti... autant de noms magiques qui la font rêver depuis toujours. Et puis, David Turnberry, le brillant archéologue qu'elle aime en secret, sera du voyage. Avec sa fiancée, certes, mais au royaume des Pharaons, les espoirs les plus fous ne sont-ils pas permis ? Pourtant, très vite, d'étranges incidents viennent perturber l'expédition...

Promesse et défi - Debbie Macomber • N°155

A la mort de son père, Margaret Clemens se retrouve seule, et immensément riche. Mais dans la petite ville de Buffalo Valley, où elle s'est toujours comportée en véritable garçon manqué, personne ne s'attend à la voir trouver un compagnon. Aussi la stupeur est-elle générale lorsqu'elle annonce son mariage avec Matt Eilers, un séducteur au passé tumultueux...

Titres non disponibles au Québec.

Composé et édité par les
éditions Harlequin
Achevé d'imprimer en septembre 2007

par

LIBERDÚPLEX

Dépôt légal : octobre 2007
N° d'éditeur : 13067

Imprimé en Espagne